A SINFONIA DA VIDA

A
SINFONIA
DA
VIDA

JOËL DE ROSNAY

A SINFONIA DA VIDA

COMO A GENÉTICA PODE LEVAR CADA UM A REGER SEUS DESTINOS

Tradução:
Gisela Bergonzoni

Copyright © Joël de Rosnay, 2018
Copyright © Éditions Les Liens qui Libèrent, 2018
Copyright © Editora Planeta do Brasil, 2020
Todos os direitos reservados
Título original: *La Symphonie du vivant*

Preparação: Carla Fortino
Revisão: Marina Castro e Karina Barbosa dos Santos
Diagramação: Bianca Galante
Capa: André Stefanini

Dados Internacionais de Catalogação na Publicação (CIP)
Angélica Ilacqua CRB-8/7057

Rosnay, Joël de
  A sinfonia da vida: como a genética pode levar cada um a reger seus destinos / Joël de Rosnay; tradução de Gisela Bergonzoni. -- São Paulo: Planeta do Brasil, 2019.
  240p.
  ISBN: 978-85-422-1864-0
  Título original: La Symphonie du vivant
  1. Vida (Biologia) 2. Epigenética I3. Mudança social I. Título II. Bergonzoni, Gisela
  19-2816   CDD 576.5

Índices para catálogo sistemático:
1. Epigenética

Este livro foi composto em Adobe Garamond e
Bliss Pro e impresso pela Geográfica para a Editora
Planeta do Brasil em janeiro de 2020

Cet ouvrage, publié dans le cadre du Programme d'Aide à la Publication année 2018 Carlos Drummond de Andrade de l'Ambassade de France au Brésil, bénéficie du soutien du Ministère de l'Europe et des Affaires étrangères.
Este livro, publicado no âmbito do Programa de Apoio à Publicação ano 2018 Carlos Drummond de Andrade da Embaixada da França no Brasil, contou com o apoio do Ministério francês da Europa e das Relações Exteriores.

2020
Todos os direitos desta edição reservados à
EDITORA PLANETA DO BRASIL LTDA.
Rua Bela Cintra, 986 – 4º andar
Consolação – São Paulo-SP
01415-002 – Brasil
www.planetadelivros.com.br
faleconosco@editoraplaneta.com.br

Sumário

INTRODUÇÃO 11

CAPÍTULO 1. ENTENDENDO AS BASES DA
                    EPIGENÉTICA.. 17
A sinfonia da vida 20
Do livro da vida ao livro de receitas 21
DNA: três letras capitais para uma
grande descoberta..24
Da dupla hélice ao Projeto Genoma Humano 26
   O papel essencial das proteínas para a vida 28
Os ramos de DNA, aderentes como velcro 30
As histonas, ou a chave da gaveta secreta......................... 31
O mal-entendido do "DNA lixo"..32

O fim do "tudo genético", ou a grande
   revolução da epigenética 34

Superando a genética clássica 37

Gêmeos "verdadeiros" e epigenética 39

Sobre abelhas e geleia real 40

Comportamentos adaptativos análogos
   nas abelhas e nas formigas 42

A inteligência das plantas 46

A epigenética é a chave da sobrevivência
   dos vegetais 50

Administrar seu corpo com a epigenética 52

CAPÍTULO 2. COMO MUDAR SUA VIDA:
              A EPIGENÉTICA NA PRÁTICA 55

Reduzir as calorias aumenta
   a expectativa de vida 58

A regra de ouro: comer colorido 60

Coma gordura e limite o sal 61

Os efeitos benéficos do azeite nas artérias 63

Açúcar, um veneno para seu corpo 66

Viva o chocolate amargo com 70% de cacau! 68

Mistérios e virtudes da complementação alimentar 69

A complementação, uma receita universal 70

   As regras de um "bom rango" 72

CAPÍTULO 3. NOSSOS AMIGOS MICRÓBIOS 75

É preciso deixar nosso microbioma "feliz" 76

O microbioma se comunica com nosso cérebro 78

Possuímos um segundo cérebro... no intestino! 79

O que o microbioma faz concretamente por nós? 82

CAPÍTULO 4. ESPORTE, PRAZER, MEDITAÇÃO: AS
OUTRAS CHAVES DA EPIGENÉTICA 85

Esporte, um antidepressivo natural 88

Surfe, um esporte extremo com efeitos
muito benéficos 90

Administração do estresse, meditação,
ioga e epigenética 92

Uma ponte entre o Oriente e o Ocidente? 95

A meditação dinâmica com o
tai chi chuan e o Qi Gong 96

Meditando de forma simples 97

Os efeitos epigenéticos dos hormônios do prazer 99

Estar em harmonia com a rede familiar,
profissional e social 101

Amor e epigenética: a oxitocina
e a bioquímica do amor 103

A poluição, o grande flagelo da modernidade 107

Toxicidade e epigenética:
os perigos das "epimutações" 110

Os perigos epigenéticos dos herbicidas
e dos metais pesados 112

Perturbadores endócrinos: uma questão
mundial de saúde pública 114

Tabaco, álcool: toxicidade
epigenética garantida 117

CAPÍTULO 5. LAMARCK E DARWIN, A RECONCILIAÇÃO 119

A eterna disputa:
Lamarck contra Darwin 120

O ser humano é resultado de uma longa
evolução do reino animal 124

Inato e adquirido: um debate superado 127

Epigenética e transmissão hereditária
de caracteres adquiridos 131

A descoberta do "gene egoísta" 135

CAPÍTULO 6. MEME E MEMÉTICA: UMA NOVA VISÃO DA SOCIEDADE HUMANA 139

Uma evolução digital 141

Os vírus de computador são vivos? 143

Da competição industrial à disrupção 146

Da genética à memética 149

O poder de modificar o DNA social 152

Onde se esconde esse DNA social?................................. 155

Da epigenética à epimemética.. 159

A influência dos "memes de internet"
e dos tuítes disruptivos.. 161

O *media virus*, uma arma
de disrupção em massa..164

A culpa é dos "neurônios-espelho"................................. 165

Como lutar contra
os memes tóxicos..169

CAPÍTULO 7. UMA GOVERNANÇA
CIDADÃ É POSSÍVEL?................... 173

Em direção a um golpe de Estado
(cidadão) permanente?... 175

A *cibversão*, uma muralha contra
os gigantes da internet?..180

Como modificar o DNA social
"disruptando" a política?...183

Por que as opiniões negativas parecem
mais inteligentes?..184

O medo, um mecanismo útil para
a sobrevivência da espécie 188

"O cérebro funciona como velcro com
o mal e como teflon com o bem" 192

Ousemos pensar positivo!..193

CAPÍTULO 8. MODIFICANDO COLETIVAMENTE
A EXPRESSÃO DO DNA SOCIAL............ 197

A economia social e solidária:
o ganho social certeiro em prática................................199

O modelo cooperativo: a garantia de uma sociedade
mais harmoniosa, responsável e ética..........................201

A França, líder em cooperativas
e estabelecimentos mutualistas.....................................205

Um modelo humanista..207

Um mundo menos baseado na competição:
uma aspiração dos *millennials*..209

Quando a *smart city* possibilita que
os habitantes modifiquem coletivamente
o DNA social de sua cidade..210

Como a epigenética e a epimemética
podem aperfeiçoar as políticas de saúde.....................213

Para não perder o trem da saúde 3.0..............................216

"Que o seu alimento seja o seu remédio".......................220

"Uma mudança da consciência coletiva"........................221

CONCLUSÃO...225
DEFINIÇÕES 232
AGRADECIMENTOS 237
BIBLIOGRAFIA DISPONÍVEL EM PORTUGUÊS 239

Introdução

Comecei a me apaixonar pela epigenética há uns dez anos, após ter lido um artigo do Dr. Jean-Claude Ameisen, biólogo e presidente do Comitê de Ética do Institut National de la Santé et de la Recherche Médicale [Instituto Nacional da Saúde e da Pesquisa Médica]. Com ele, pude também me aprofundar no impacto da epigenética em nossa saúde e no retardamento do envelhecimento, no contexto de diversos grupos de discussão e de intervenções públicas a propósito das biotecnologias e do futuro da medicina. Nossas discussões me incitaram a escrever diversos artigos sobre o assunto e a dedicar-lhe alguns capítulos nos meus últimos livros.

Publiquei também um vídeo no YouTube[1] em resposta à pergunta do jornalista Éric Jouan durante a Universidade da Terra, evento realizado pela Unesco para discutir ecologia e economia, em março de 2013, na presença de Jacques Attali e de Étienne Klein: "Joël de Rosnay, o senhor poderia nos explicar em três minutos o que é a epigenética?". Esse curto vídeo foi compartilhado milhares de vezes pelos internautas no Facebook, no Twitter e em vários blogs, sinal de que o grande público percebeu todo o interesse dessa nova disciplina no "viver bem".

Após pesquisas, leituras e encontros, conscientizei-me, progressivamente, de que a abordagem representada pela epigenética ia muito além do nosso corpo. Se é possível agir sobre um sistema tão complexo quanto o organismo vivo, por que não aplicar a epigenética a outro sistema particularmente complexo? Falo da sociedade na qual vivemos, trabalhamos e atuamos.

Este livro tem como objetivo não somente ajudá-lo ou ajudá-la a organizar melhor sua vida e a dar um sentido a ela, mas busca também permitir a você coordenar-se melhor com os outros para influenciar a sociedade na qual vive. De fato, mesmo em uma democracia como a nossa, os sistemas eleitorais tradicionais não são mais suficientes para traduzir com

---

1. MICI SANS FRONTIÈRES. Joël de Rosnay: Epigénétique. 2014. Disponível em: <https://www.youtube.com/watch?v=XTyhB2QgjKg>. Acesso em: 9 abr. 2019.

eficácia a vontade e as aspirações políticas dos cidadãos. Muitos de nós desejamos que a democracia atual, representativa, evolua para uma democracia participativa. Neste livro, explico por que é possível usar os princípios da epigenética para agir sobre o DNA de nossas sociedades e, assim, modificar sua expressão, além de mostrar como fazê-lo.

Antes do advento da epigenética, a maior parte dos biólogos acreditava que os seres vivos eram apenas um produto de seus genes. Ora, compreendemos há pouco tempo que eles dispõem de um potencial real de ação sobre o seu genoma. Com efeito, nosso DNA pode ser influenciado pelo nosso ambiente pessoal: alimentação, exercício físico, vida social e amorosa, aquilo e aqueles que nos cercam, o lugar onde moramos, o estresse...

Para além da genética, a epigenética é certamente uma das mais importantes descobertas dos últimos vinte anos no campo da biologia. Pesquisas recentes demonstraram que o programa do DNA poderia ser expresso, inibido ou modulado pelo comportamento dos seres vivos. Certo número de doenças e de problemas mentais seria ligado também a mudanças epigenéticas. Estudar o epigenoma e sua regulação se revela, então, essencial para a compreensão da "boa saúde".

Graças à epigenética, conhecemos atualmente as regras científicas de base que nos permitem agir muito mais rapidamente sobre nosso corpo. Centenas de laboratórios no mundo já pesquisam o papel da epigenética no tratamento do câncer, no retardamento do envelhecimento, na melhoria da saúde e na manutenção de uma saúde equilibrada, permitindo a prevenção contra doenças microbiais, virais ou, ainda, degenerativas ligadas à idade. A epigenética abre, assim, uma nova via de responsabilização e liberdade para os seres humanos.

O desafio, a partir daí, é conseguir "administrar seu corpo" com a epigenética. Para agir sobre seu corpo e sua vida, é necessário entender seu modo de usar. A ideia deste livro é também explicar como colocar em prática as regras da "bionomia", isto é, a economia do corpo, em todas as esferas da vida, para melhor prevenir as doenças, ou seja, "envelhecer jovem" e com boa saúde, mais do que simplesmente viver por mais tempo.

E o que acontece na sociedade? O ecossistema informático que a internet integra possuiria, assim como os seres vivos, uma espécie de "DNA" social cuja informação teria se tornado mais complexa como consequência das intervenções individuais e massivas dos internautas. A codificação permanente, por parte dos humanos, de novas funções no "ecossistema digital" poderia, assim, levar ao surgimento de uma forma de "epigenética" desse ecossistema. Em outros termos, a expressão do DNA da internet poderia ser modificável *do seu interior* pelo comportamento dos usuários, como é o caso dos seres vivos.[2]

---

2. ROSNAY, Joël de. L'ADN d'Internet est-il modifiable de l'intérieur?. Les Échos, Paris, 2 nov. 2015. Disponível em: <http://

E se os "usuários-neurônios" que os internautas representam detivessem esse poder, sem ter ainda ciência disso? E se as modificações "epigenéticas" decorressem do conjunto de comportamentos dos internautas? Teríamos então o poder de mudar o que o biólogo britânico Richard Dawkins chama de "memes" – e, mais além, por que não, o "DNA social". Mas como nos certificar de que os efeitos combinados das ações dos internautas e dos memes no organismo da internet sejam positivos para a demografia, as liberdades e o futuro da humanidade?

Baseado no princípio de analogia genes/memes, ou genética/memética, proponho estabelecer uma relação entre epigenética e *epimemética*. Por epimemética, entendo o conjunto de modificações da expressão dos memes do DNA social por meio do comportamento das pessoas em uma sociedade, empresa ou qualquer tipo de organização humana. Essas modificações se espalham graças às redes tradicionais de comunicação, mas sobretudo as digitais. Graças às redes sociais digitais, o comportamento dos usuários, dos eleitores, dos políticos, dos industriais, dos cientistas pode mudar o DNA social (de uma empresa, uma associação...). Utilizando essas redes como verdadeiros contrapoderes e orientando nossos comportamentos em direção a um mesmo objetivo, participamos de uma "corregulação

---

archives.lesechos.fr/archives/cercle/2012/11/02/cercle_57913.htm#>. Acesso em: 9 abr. 2019.

cidadã participativa". Uma oportunidade real para que o cidadão avalie as ações das pessoas que representam a sociedade ou que agem em seu nome, quer elas sejam eleitas democraticamente ou não.

Essas são as questões fundamentais para o futuro da humanidade que eu gostaria de abordar aqui, ao estabelecer essa ligação audaciosa entre biologia e sociedade.

CAPÍTULO 1

Entendendo as bases da epigenética

Quando as abelhas polinizadoras
se transformam em alimentadoras

Nosso interesse pelas abelhas não data de ontem. Na Grécia antiga, o veneno de abelha já era utilizado como remédio contra a dor. Tanto o filósofo grego Demócrito, morto aos 109 anos, em torno de 370 a.C., quanto seu conterrâneo, o poeta Anacreonte, morto aos 115 anos, atribuíam sua longevidade ao consumo de mel. Além das virtudes medicinais desse inseto, são suas capacidades surpreendentes e seus comportamentos sociais muito elaborados que desde sempre fascinam pesquisadores do mundo todo.

O naturalista suíço François Huber (1750-1831) foi o primeiro cientista a entender que a rainha da colmeia era fecundada no ar. Ele descobriu também o papel das antenas e a origem da cera de abelha. Demonstrou que as larvas alimentadas com geleia real pelas abelhas alimentadoras se transformariam certamente em rainhas. E, assim, abriu caminho para gerações de entusiastas desvendarem os fantásticos desempenhos desses insetos repletos de recursos.

Em seu laboratório da Universidade do Arizona, nos Estados Unidos, Andrew Feinberg e Gro Amdam realizam, com seus alunos Brian Herb e Florian Wolschin, experiências singulares.[1] Ao comparar o cérebro de abelhas polinizadoras (em busca de flores e de comida) com o cérebro de abelhas alimentadoras, Herb constatou diferenças nos níveis de "metilação" de 155 genes. A metilação, como veremos, é o processo que permite ativar ou desativar certos genes a partir de um mesmo genoma (o conjunto de genes do organismo), sem modificá-lo.

Quando Florian aproveitou a ausência das polinizadoras para retirar as alimentadoras das colmeias, qual não foi sua surpresa ao constatar que metade das

---

1. HERB, Brian R. et al. Reversible switching between epigenetic states in honeybee behavioral subcastes. Nature Neuroscience, Londres, v. 15, p. 1.371-1.373, 16 set. 2012.

polinizadoras havia se metamorfoseado em alimentadora! Essa metamorfose é ainda mais interessante porque o aspecto físico e o comportamento das alimentadoras e das polinizadoras são extremamente diferentes e dizem respeito a competências particulares.

Durante essa transformação de polinizadoras em alimentadoras, os níveis de metilação foram modificados em 107 genes. É de notar que esses genes intervêm na regulação de outros genes, que acarretarão mudanças físicas e comportamentais. E o que é ainda mais estranho: essas transformações são reversíveis. Se tentamos a experiência inversa, fazendo desaparecerem as alimentadoras, percebemos que as polinizadoras voltam ao seu estado original.

Essas pesquisas são uma ilustração perfeita das mudanças "epigenéticas": uma informação externa (o desaparecimento das alimentadoras) desencadeia o processo de metilação. A partir de um mesmo código genético, esse processo permite regular a atividade dos genes das polinizadoras de forma a facilitar ou impedir a expressão de alguns desses genes. No caso do qual tratamos, a metilação permitiu, então, compensar a perda de uma casta de abelhas por meio da aparição de outra (as alimentadoras se tornando polinizadoras, e vice-versa). Brian e Florian foram os primeiros a demonstrar que o comportamento das abelhas era reversível, assim como a metilação.

A SINFONIA DA VIDA

Feche os olhos e imagine-se bem confortável em seu assento na ópera da Bastilha. A Orquestra Sinfônica de Paris interpreta a Nona Sinfonia de Beethoven em ré menor. Você sente a força dessa obra-prima. A grande orquestra, conduzida por um maestro talentoso, irradia perfeição. Tambores, triângulos e címbalos ressoam com ardor. Quando o coro inicia, com felicidade, o último movimento, você reconhece o "Hino à alegria" e sente intensamente a emoção do público, unido a você nesse instante inesquecível. Essa melodia poderosa e atemporal, talvez a mais conhecida do compositor, também é associada à União Europeia, que a escolheu como hino para simbolizar a fraternidade entre os povos.

As notas dos diferentes movimentos do "Hino à alegria" só podem ser tocadas com perfeição por músicos e por um maestro capazes de lhes dar vida, respeitando a intenção do compositor. Podemos considerar as notas musicais em uma partitura como a genética, enquanto a epigenética seria a sinfonia executada a partir dessas notas. Para entender a diferença entre "genética" (a partitura) e "epigenética" (a sinfonia), não há necessidade de ser melomaníaco. Concebe-se espontaneamente a nuance entre a execução de uma partitura por músicos tocando diversos instrumentos e a escuta da sinfonia que resultará da interpretação deles.

Todos os músicos, assim como o maestro, dispõem de uma partitura, que representa as notas musicais, os acordes, os silêncios etc. Essas informações, graças às quais a música pode ser transmitida, são escritas de maneira linear e sequencial: seguem uma ordem rigorosa, permitindo a execução individual e, ao mesmo tempo, a sincronia entre os músicos. A justeza e a beleza da sinfonia dependerão da qualidade do desempenho de cada músico, tanto quanto da direção e da coordenação asseguradas pelo maestro.

Nosso organismo funciona como uma grande orquestra. O coração, os pulmões, o fígado... Cada um deve "tocar sua partitura" em harmonia com todos os outros órgãos para interpretar a sinfonia da vida, a nossa sinfonia pessoal da vida. Entender a importância da epigenética é dar a si mesmo a chance de se tornar maestro do próprio corpo!

DO LIVRO DA VIDA AO LIVRO DE RECEITAS

Podemos dar ainda outro exemplo para explicar a epigenética: o livro de receitas.

Se representássemos o DNA como uma enciclopédia, cada volume desse "livro da vida" conteria informações próprias às características de uma espécie. Segundo a célebre fórmula do biólogo Thomas Jenuwein, diretor do Max Planck Institute of Immunobiology [Instituto Max Planck de Imunobiologia], na Alemanha:

"A genética está para a epigenética como a escrita de um livro está para sua leitura".

Imaginemos que os genes sejam os capítulos do texto e o DNA, o suporte das informações contidas no livro como um todo. Para transmitir suas mensagens, o DNA desse "livro da vida" precisa ser decodificado e traduzido pela usina celular. De fato, as células precisam ser capazes de "ler" as informações armazenadas a fim de fabricarem os elementos (as proteínas) comuns a uma espécie, como aqueles que constituem, por exemplo, os membros ou os órgãos de um ser humano, ou ainda o bico e as asas de um pássaro, a cor da pelagem, o olfato, a visão noturna de um gato.

Se você já utilizou um livro de culinária, entenderá facilmente esta outra metáfora, um pouco trivial, para ilustrar o que é a epigenética. As diferentes células do organismo contêm, dentro de seu núcleo, o mesmo exemplar de DNA, que concentra a totalidade das informações genéticas necessárias a todas as células do organismo. No entanto, cada célula (de fígado, rim ou músculo) só lê os genes (as páginas do livro de receitas) úteis à produção das proteínas de que ela precisa para seu próprio funcionamento.

Se você cozinha com certa frequência, provavelmente marca as páginas do seu livro de receitas para encontrar mais rápido as suas preferidas. Alguns arrancam ou colam as páginas que nunca utilizam. Ao longo dos anos, acontece de as páginas vítimas de "acidentes" (tais como produtos derramados) se tornarem ilegíveis. No livro de receitas representado pelo DNA, certas "páginas" podem ser marcadas com vistas a um uso imediato. Outras, ao contrário, podem ter sido "coladas" umas às outras, como descrevi acima, e estarão ilegíveis. Os marcadores químicos e biológicos permitem a leitura de um gene (uma receita) para produzir as proteínas e as enzimas indispensáveis ao funcionamento da fábrica celular. Eles podem também inibir um gene (este continua a existir, mas se torna "silencioso") com a ajuda de inúmeros mecanismos e funções. E dependem especialmente do comportamento de um organismo vivo ao longo do tempo.[2]

O fato de se conhecer a sequência das letras químicas que compõem um gene não é suficiente para prever de que maneira ele se expressará nessa ou naquela célula e tampouco no organismo como um todo. O comportamento e o ambiente também têm seu papel. Mas como colocar a epigenética em funcionamento, como *colocá-la em música*? A resposta reside na tomada de consciência de sua participação pessoal nessa sinfonia. Para usarmos uma expressão popular, "podemos fazer algo por nós mesmos", em vez de nos abandonarmos à adversidade ou a uma programação predeterminada. Nós realmente temos liberdade de experimentar e de agir, como você descobrirá ao longo destas páginas.

---

[2]. A propósito dos marcadores químicos, ver a seção "Definições" ao final do livro.

Como afirmei na introdução, uma das principais conclusões das pesquisas sobre a revolução epigenética nos ensina que os indivíduos não são (totalmente) "predeterminados" por seus genes. Seu comportamento e sua vontade de agir podem também mudar sua vida. Ninguém pode almejar controlar inteiramente a própria vida, mas cada um de nós tem o poder de aperfeiçoar suas chances de viver de forma mais saudável, com a condição de adotar certos tipos de comportamento.

É, sobretudo, uma boa notícia que possamos parcialmente agir sobre nossa saúde, nosso envelhecimento e, assim, sobre o curso da nossa vida... É nossa responsabilidade adaptar nossos modos de vida para ativar os genes que contribuem para nos proteger de maneira mais eficaz contra determinadas doenças (diabetes, câncer, doenças cardiovasculares, entre outras). Como explicarei mais adiante, estudos recentes mostram que nossos comportamentos alimentares influenciam certos genes. A alimentação seria, então, uma atriz essencial na epigenética.

DNA: TRÊS LETRAS CAPITAIS PARA UMA GRANDE DESCOBERTA

Antes de prosseguir com a exploração do novo mundo da epigenética, gostaria de voltar a uma descoberta essencial: a do DNA. Para o grande público, essa sigla evoca, sobretudo, a busca do estabelecimento da paternidade ou os inquéritos criminais. Um testemunho disso é a série *CSI: New York*, na qual a polícia científica americana, usando ciência e tecnologia de ponta, se mostra capaz de "fazer o DNA falar". De fato, desde os anos 1990, novos métodos de investigação permitem identificar um criminoso graças ao menor rastro de sua presença na cena de um crime. A partir de uma quantidade ínfima de DNA (cabelo, secreções corpóreas, células da pele etc.), os "especialistas" obtêm "perfis" genéticos ou até mesmo retratos-robôs em 3D com uma precisão impressionante. E mais: como um milagre da ciência, podem concluir seus inquéritos em tempo recorde. Ao menos nas séries de televisão...

Deixemos o universo da ficção para voltar à realidade dessas três letras, capitais em todos os sentidos do termo. Enquanto a genética, disciplina que visa estudar o caráter hereditário dos genes transmitidos pelos pais a seus descendentes, existe desde o início do século XX, o DNA só foi identificado nos anos 1940. E, mesmo que ele tenha permitido que se compreendessem melhor os mecanismos evolutivos das espécies vivas (humanas, animais e vegetais), seus descobridores ignoravam tudo sobre sua estrutura molecular até 1953.

Como as moléculas do DNA conseguem se juntar e se duplicar conservando os códigos hereditários? A resposta permaneceu um mistério até que o biofísico britânico Francis Crick e o geneticista americano James Watson fizeram uma descoberta. Eles foram, de fato, os primeiros a descrever o DNA como uma molécula com três dimensões. Sua representação como uma estrutura de dupla hélice enrolada em volta de um eixo do qual cada ramo é formado por uma série de grupos químicos chamados de "bases" se tornaria famosa no mundo todo.

DA DUPLA HÉLICE AO PROJETO GENOMA HUMANO

Na época, a publicação, na revista *Nature*, dos artigos desses dois jovens pesquisadores sobre a dupla hélice do DNA suscitou pouco interesse. Eles consideravam o DNA um produto químico. No entanto, é sua estrutura muito particular em três dimensões a responsável por suas propriedades surpreendentes de memorização e duplicação da informação genética. A descoberta fundamental renderia a Crick e Watson o Nobel de Fisiologia ou Medicina de 1962.

Essa revolução nas ciências da vida viraria de ponta-cabeça o conhecimento em genética. Os cientistas entenderam, graças a ela, os princípios fundamentais da transmissão de características hereditárias e a possibilidade de mutações pela modificação das "letras" da mensagem genética. No nível molecular, é como se um "erro de digitação" no texto transformasse totalmente seu significado.

É nesse contexto que os pesquisadores lançam, nos anos 1990, o Projeto Genoma Humano. Equipes de pesquisa interdisciplinares (compostas por bioprogramadores, biólogos, médicos, programadores, matemáticos, físicos etc.) passariam a conseguir ler, escrever e, de certa maneira, *programar* a vida. Um canteiro de obras faraônico: o sequenciamento completo (a cartografia) do DNA do genoma humano só se completaria em 2003, após ter mobilizado recursos consideráveis. Desde essa empreitada de sucesso, somos capazes de decodificar e escrever os códigos da vida com máquinas, fabricar genes sintéticos e, de certa maneira, criar o programa da vida.[3]

Além do DNA, os outros grandes agentes dessa revolução são as proteínas. O DNA contém os genes (as informações, os mapas moleculares), enquanto as proteínas e as enzimas são seus executantes. A partir dos mapas do DNA, são elas que constroem os "tijolos" da fábrica-célula e constituem as "máquinas-ferramentas" que asseguram seu funcionamento. Sendo, assim, um elemento de base de toda célula viva, as proteínas se dividem em duas categorias: as proteínas de construção (o colágeno, por exemplo) e as enzimas ou proteínas de ação (as nanomáquinas que digerem, cortam ou colam entre si outras moléculas). Para entender seu papel, retenha estas duas palavras-chave: *transcrição* e *tradução*. A transcrição é o processo de cópia do DNA

---

3. ROSNAY, Joël de; PAPILLON, Fabrice. *Et l'homme créa la vie: la folle aventure des architectes et des bricoleurs du vivant* [E o homem criou a vida: a louca aventura dos arquitetos e artesãos da vida]. Paris: LLL, 2010.

em RNA mensageiro (ácido ribonucleico mensageiro), o qual participa da conversão do DNA em proteína. A tradução, por sua vez, permite a expressão dos genes trazidos pelo DNA.[4]

O papel essencial das proteínas para a vida

Presentes em cada uma de nossas células, as proteínas desempenham um papel essencial. Elas formam o fenótipo molecular (celular e orgânico), isto é, o conjunto das características bioquímicas de um organismo vivo. Ressalta-se que o genótipo designa o conjunto de genes de um organismo vivo, enquanto o fenótipo representa o caráter visível atribuído por um ou por vários genes. Por exemplo: certos genes determinam a cor da pele, dos cabelos ou dos olhos, o tamanho das mãos, a forma da cabeça etc. Outros genes indicam ao corpo como se comportar diante de uma agressão externa, como um vírus.

As proteínas capazes de catalisar reações químicas nas células são chamadas de enzimas e vão abrir a dupla hélice do DNA e transcrever os genes do DNA em um "ramo" simples, chamado "RNA mensageiro" (RNAm), que contém uma cópia do código genético. Se você observasse os mecanismos de síntese das proteínas em uma escala nanoscópica (molecular), poderia ver o RNA sair do núcleo da célula por pequenas

---

4. Sobre a relação entre DNA, RNA e proteínas, ver a seção "Definições" ao final do livro.

aberturas para se fixar em partículas celulares complexas feitas de proteínas e de RNA, chamadas "ribossomos". Agindo como "leitores", os ribossomos podem ler o código genético. Em seguida, graças a adaptadores chamados "RNA de transferência", os aminoácidos transportados se ligam uns aos outros na ordem exata do código genético, criando assim uma cadeia de proteínas.

Não esqueçamos que as proteínas são constituídas de aminoácidos. Se você não sabe com o que se parece uma proteína, imagine 20 vagões isolados uns dos outros: cada um desses vagões representa um dos 20 aminoácidos identificados. De acordo com a maneira como você decidir combiná-los, você obterá milhares de proteínas distintas (milhares de "trens" distintos). Vemos aqui o princípio de agrupamento das quatro letras do código genético: A, T, G e C. Basta associarmos as letras em uma ordem diferente para obtermos milhões de soluções, "mapas" que poderão ser utilizados para fabricar proteínas de formas e funções diferentes.

A síntese das proteínas foi primeiramente deduzida pelo cálculo, graças à física, à química e à marcação radioativa. Depois, os cientistas puderam validar sua dedução ao observar diretamente, por microscópio eletrônico ou por simulação em computador, essa síntese em duas etapas: *transcrição* do DNA em RNA mensageiro e em seguida *tradução* do RNA mensageiro em proteínas. Com efeito, a célula reúne uma cadeia de proteínas ao combinar os aminoácidos conforme a informação contida no DNA. Foi assim que os pesquisadores puderam ver toda a sucessão de ribossomos lendo as mensagens do RNA, bem como as pequenas cadeias de proteínas se formando e crescendo, e, logo que estavam terminadas, desprendendo-se para reagruparem-se no citoplasma, o meio celular.

OS RAMOS DE DNA, ADERENTES COMO VELCRO

Inúmeras ferramentas moleculares – as enzimas, por exemplo – são utilizadas para estudar a expressão dos genes. Elas permitem tanto recortar ou colar pedaços de DNA como "fotocopiá-los" ou, mais precisamente, "biocopiá-los". Assim, quando os investigadores recolhem as impressões genéticas de uma pessoa suspeita de estupro, uma ínfima quantidade de DNA pode ser explorada, pois a amostra é amplificada sob a ação dessas enzimas.

Podemos também recorrer a "sondas de hibridização". A hibridização se aplica ao DNA quando ele tem um único ramo – configuração na qual as letras de seu código genético se sucedem em sequências sem que tenham encontrado a letra complementar que lhes permitirá formar um par. Para remediar isso, a sonda de hibridização tenta detectar um ramo complementar com o intuito de reformar a dupla hélice. Assim como ocorre com um pedaço de velcro, esse ramo se ligará a outro pedaço de DNA complementar. Esse "casamento" só funciona se a letra A reconhecer um T e a letra G, um C.[5]

Uma sonda de hibridização age da mesma forma que uma pesquisa por palavra-chave em um motor de busca, que é uma base eletrônica de dados. De maneira análoga, com uma sonda de hibridização molecular, marcada por uma etiqueta química ou radioativa, é possível identificar, selecionar e extrair um gene buscado em um banco de genes, ou genoteca, que comporta milhares, ou mesmo milhões, de genes diferentes.

AS HISTONAS, OU A CHAVE DA GAVETA SECRETA

Com a ajuda de um microscópio muito potente, pode-se ver a molécula de DNA se enrolando em volta das histonas (uma variedade de proteína localizada no núcleo da célula), como um fio ao redor de uma bobina. Essenciais às células do organismo, as histonas fazem parte da estrutura de uma substância composta por moléculas de DNA, RNA e proteínas, que é chamada de "cromatina". Esta desempenha um papel crucial, já que serve à construção dos cromossomos. Para termos uma ideia, as histonas permitem a compactação de cerca de 2 metros de molécula de DNA na cromatina.

---

5. Ver a seção "Definições" ao final do livro.

Como se libera o DNA compactado? Imagine uma gaveta trancada com duas voltas de chave: os genes que estão ali presos (a cromatina, portanto) não podem nem ser transcritos, nem traduzidos. A menos, é claro, que tenhamos a chave... Porém, assim como no caso de uma gaveta secreta, existe evidentemente um meio de ativar o botão que acionará o mecanismo. Esse botão é a modificação das histonas: ela acionará a abertura da gaveta e, assim, o bloqueio ou o desbloqueio da transcrição de certos genes. Graças a essa "chave", será possível garantir a transcrição dos genes em RNA mensageiro, e em seguida traduzir a mensagem genética em proteínas. Transcrição e tradução: eis nossas duas palavras-chave.

Um gene inibido equivale a uma gaveta trancada: nem a transcrição nem a tradução são possíveis. Por outro lado, quando a gaveta se abre, a expressão do gene conduz à produção de uma proteína. A abertura e o fechamento da "gaveta" genética são assegurados pelos mecanismos de acetilação e metilação dos genes ou das histonas.[6]

O MAL-ENTENDIDO DO "DNA LIXO"

Como expliquei, as enzimas e as proteínas intervêm como "máquinas-ferramentas moleculares" das cadeias de agrupamento, ou como "tijolos" de construção das células. Mostrei que elas desempenham também a

---

6. Sobre a acetilação e a metilação, ver a seção "Definições" ao final do livro.

função de regulação da atividade da "fábrica celular". Ora, descobrimos que os códigos que permitem ler os genes e transcrevê-los para produzir essas enzimas e proteínas representam não mais do que 2% do espaço de armazenamento da informação genética que constitui o genoma. Foi uma surpresa para os biólogos, e sobretudo para os geneticistas, que se perguntavam o que 98% do espaço não codificante do genoma poderia fazer. Por duas décadas, os pesquisadores se dedicaram a responder a essa questão: esse espaço detém o código molecular, em especial as pequenas moléculas de RNA e, sobretudo, de *RNA interferente*, que modulam a mecânica genética. Como assinalamos, essa modulação depende em grande parte de nossos comportamentos, nossas emoções e nossos modos de vida.

Antes de encontrarem uma explicação satisfatória para esse DNA majoritariamente não codificante, os biólogos haviam decidido – com certa leviandade, é preciso reconhecer – chamá-lo de "DNA lixo" (*junk DNA*, em inglês). Pensavam que ele resultava da integração progressiva, em nosso patrimônio genético, de genes de bactérias ou vírus que haviam nos contaminado, de genes mutantes não eliminados e que teriam se acumulado ao longo do tempo.

Sabe-se hoje que esse DNA não codificante está longe de ser inútil. Ele forma o epigenoma, isto é, o conjunto de genes que determinam as modificações epigenéticas de uma célula graças à produção de moléculas que não são apenas proteínas e enzimas, como é o caso dos mecanismos habituais da vida celular, mas de pequenas moléculas de RNA que circulam no corpo todo e agem como interruptores químicos *on/off*.[7] Essa descoberta notável, ainda mais importante que a do genoma, abriu o caminho para a epigenômica.[8]

O FIM DO "TUDO GENÉTICO", OU A GRANDE REVOLUÇÃO DA EPIGENÉTICA

Antes da descoberta das funções secretas do DNA não codificante, a maior parte dos biólogos estava convencida de que os seres vivos não passavam de um produto de seus genes. Em outros termos, seríamos determinados por um "programa" genético: o programa da vida herdado de nossos ancestrais. Tal convicção traz, obviamente, o problema da responsabilidade. Como agir sobre nossa vida, mudar nossos comportamentos ou nos superar se somos "programados" para possuir essa ou aquela aptidão física ou para reagir de uma ou de outra maneira? Uma visão claramente desmotivadora e, sobretudo, desmobilizadora.

---

7. Sobre os interruptores químicos da epigenética, ver a seção "Definições" ao final do livro.

8. Ver o artigo coletivo de pesquisadores de Harvard, do MIT e de Stanford, "ADN non codant et épigénomique", *Nature*, vol. 518, 19 fev. 2015, pp. 317-330.

Acreditamos durante muito tempo que o DNA só podia sofrer variações por meio de mutações que levavam um longo período para se traduzirem, segundo o princípio de seleção darwiniana. Soubemos há pouco que nosso DNA também pode ser influenciado pelo nosso ambiente pessoal. Dizendo de outra maneira, nossos genes propõem partituras nas quais podemos improvisar bastante nossa "sinfonia da vida". Podemos decidir fumar e beber ou viver de forma saudável. Podemos recalcar nossas emoções e fugir de nossos traumas ou fazer psicoterapia para nos libertarmos deles. Podemos ficar sentados o dia todo ou fazer exercícios. Nossas escolhas influenciam diretamente na expressão de nossos genes. Ao demonstrar que o DNA não é somente uma questão de hereditariedade, a epigenética provocou uma reviravolta em nossas certezas.

De acordo com a expressão do médico e biólogo Henri Atlan, assistimos hoje ao fim do "tudo genético", ou seja, ao desaparecimento da premissa segundo a qual o "programa do DNA" controlaria inteiramente o funcionamento e a reprodução dos seres vivos. Os resultados das pesquisas em genética demonstram que não existe fronteira absoluta entre gene (o DNA todo-poderoso) e ambiente (nosso meio, nossos comportamentos). Como destaca, ainda, o professor Atlan: "Não há somente programação dos sistemas complexos, mas determinação e regulação por interdependências em diversos níveis: metabólicos, funcionais e epigenéticos".⁹ É nessa fluidez e nessa adaptação permanentes que a epigenética tem sentido, e não em um hipotético programa pré-escrito ou predeterminado. E, se tal "programa" existisse, ele necessitaria obviamente dos "produtos de sua leitura e execução para poder ser lido e executado".¹⁰

Aquilo que é adquirido desempenha, então, um papel decisivo. As informações provenientes do meio externo modulam a expressão dos genes, inibindo ou desinibindo alguns deles em função de nosso ambiente (não esqueçamos que o essencial da atividade de nossos genes é resultado de uma regulação). Os seres vivos dispõem, assim, de um potencial real de ação sobre seu genoma. Seus atos têm consequências, já que eles podem ativar alguns genes e colocar outros em suspensão. E é isso que a epigenética estuda: os mecanismos de ativação e de inibição dos genes, a modulação de sua expressão pelos comportamentos ou pelo ambiente. Essas modificações são reversíveis, como provou o exemplo das abelhas. Mostrarei mais adiante que são também, em parte, transmissíveis de uma geração a outra, o que levanta a questão da herança dos caracteres adquiridos.

---

9. ATLAN, Henri. *La fin du tout génétique* [O fim do tudo genético]. Paris: INRA Éditions, 1999.

10. _____. *L'Organisation biologique et la théorie de l'information* [A organização biológica e a teoria da informação]. Paris: Éditions du Seuil, 2006.

SUPERANDO A GENÉTICA CLÁSSICA

Acredito que a epigenética represente uma das descobertas mais importantes dos últimos vinte anos no campo da biologia. Seu impacto, que já é considerável na medicina e no estudo do envelhecimento, deve se reforçar ao longo dos próximos anos, levando em consideração os esforços da indústria farmacêutica e agroalimentar para prevenir patologias como a obesidade e o câncer.

O termo "epigenética" foi criado pelo cientista e filósofo britânico Conrad Hal Waddington em 1942, a partir do grego *epi*, que significa "além" ou "acima".[11] Em outros termos, a epigenética engloba propriedades, um código "acima do código", ou seja, um metaprograma biológico que transforma profundamente o papel da genética clássica ao agir sobre o conjunto de processos que provoca modificações na expressão dos genes sem alterar a sequência do DNA (ou o código genético). Esses processos são acontecimentos naturais e essenciais ao bom funcionamento do organismo.

No contexto da evolução darwiniana, os cientistas observam e descrevem modificações das formas ou das funções dos organismos vivos (animais ou vegetais) que acontecem no decorrer de períodos muito longos

---

11. WADDINGTON, C.H. Canalization of development and the inheritance of acquired characters. *Nature*, Londres, v. 150, p. 563-565, 1942.
VAN SPREYBOECK, L. From epigenesis to epigenetics: the case of C.H. Waddington. *Annals of the New York Academy of Science*, Nova York, v. 981, p. 61-81, dez. 2002.

em decorrência do jogo de mutações e da seleção natural. Quanto às modificações epigenéticas, estas se realizam no decorrer de períodos muito curtos – alguns dias, semanas ou meses. A inibição ou superexpressão de um gene pode, assim, levar a desregulações do metabolismo celular e, portanto, do funcionamento de certos órgãos.

Pesquisas recentes demonstraram a relação entre epigenética e câncer. Por exemplo, determinadas modificações epigenéticas (como a acetilação das histonas ou a metilação do DNA) têm uma participação na cancerogênese, desativando genes supressores de tumores. Esses genes agem inibindo mecanismos que favorecem a cancerização ou ativando mecanismos que a impedem. Nas células existem também sistemas de vigilância da integridade dos genes, de forma a evitar as mutações suscetíveis de evoluir para um câncer.

Quando ocorrem deteriorações desse tipo, sistemas de reparação do DNA intervêm. Por exemplo, o gene supressor de tumores chamado de p53 desempenha uma função determinante na sinalização de danos no DNA, na sua reparação ou na eliminação de células cujo DNA foi modificado por mutações. Quando os danos sofridos por esse DNA são grandes, o gene p53 provoca a morte da célula por meio de um mecanismo de suicídio celular chamado *apoptose*. As modificações epigenéticas que intervêm nos genes supressores de tumores desregulam seu funcionamento e podem, assim, conduzir ao aparecimento de processos de cancerização. Essa pista está sendo atualmente explorada por vários laboratórios no mundo.[12]

As pesquisas internacionais sobre a epigenética adquirem uma importância considerável porque atingem nossa vida cotidiana. Elas abrem caminho para uma prevenção responsabilizadora, cujos efeitos são mensuráveis, sobretudo por meio das novas tecnologias digitais da e-saúde (saúde conectada). Além disso, trazem uma nova luz a certas particularidades que a genética não havia conseguido resolver até o presente.

GÊMEOS "VERDADEIROS" E EPIGENÉTICA

O caso bastante conhecido dos gêmeos monozigóticos (geneticamente idênticos, portanto) ilustra perfeitamente esse fenômeno. Se os gêmeos "verdadeiros" partilham o mesmo patrimônio genético, comportamentos e/ou ambientes diferentes vão levar a diferenças *epigenéticas*. Isso explica por que, enquanto um gêmeo está sujeito a doenças, o outro pode ser preservado. De fato, sabe-se que, de acordo com mecanismos que ativam ou desativam certos genes, gêmeos que tiveram comportamentos distintos (hábitos alimentares, atividade física, consumo de tabaco, de álcool ou de drogas, gerenciamento do estresse etc.) ou viveram em ambientes

---

12. JONES, P.A.; ISSA, J.P.; BAYLIN, S. Targeting the cancer epigenome for therapy. *Nature Reviews Genetics*, Londres, v. 17, n. 10, p. 630-641, 15 set. 2016.

bastante diferentes (locais poluídos, condições climáticas extremas etc.) apresentarão infalivelmente variações biológicas e comportamentais.

Sabemos atualmente que os pais não transmitem somente os genes a seus filhos. Observou-se, por exemplo, que o comportamento da mulher grávida influencia o desenvolvimento celular de seu filho desde o estado embrionário. Aquilo que fazemos e aquilo que vivemos têm consequências sobre a expressão de nossos genes. Nossos modos de vida, mas também os acontecimentos marcantes da existência (traumatismos diversos, guerra, fome ou, ao contrário, abundância, despreocupação etc.) terão repercussões sobre nossa saúde e nossos comportamentos. Terão também um impacto sobre a maneira como os genes herdados vão se expressar no organismo de nossos descendentes. Isso provoca uma reviravolta nas ideias preconcebidas sobre genética e sobre a transmissão de caracteres adquiridos.

Essa é também a razão pela qual o exemplo, evocado na abertura deste capítulo, sobre a vida das abelhas e sua transformação epigenética pela geleia real é tão esclarecedor.

SOBRE ABELHAS E GELEIA REAL

Você sabia que as larvas de abelha nascem todas com o mesmo DNA, assim como os gêmeos monozigóticos geneticamente idênticos? Elas possuem exatamente o mesmo patrimônio genético, e, no entanto, algumas delas serão rainhas, enquanto outras se tornarão operárias. Qual é então a chave desse mistério?

Experiências realizadas em laboratório colocaram em evidência a influência da nutrição no desenvolvimento das larvas. Sabemos há muito tempo que a geleia real tem como efeito a diminuição da metilação do DNA. Os pesquisadores foram mais longe ao estudar o impacto do aporte de geleia real em um período mais ou menos longo. A alimentação engendraria diferenças significativas? Eles observaram que larvas alimentadas durante mais ou menos cinco dias com geleia real se transformavam sistematicamente em rainhas. Submetidas ao mesmo regime alimentar por no máximo três dias, 55% das larvas da colônia se tornavam operárias, 25% delas, intercastas (zangões) e somente 20% delas, rainhas. Dependendo de receberem ou não uma refeição de rei – ou melhor, de rainha –, alguns genes se expressarão para produzir uma abelha maior e capaz de viver por mais tempo que as outras.[13] Ao longo de sua vida real, que pode durar quatro ou cinco anos, a rainha se dedicará quase exclusivamente a pôr ovos. As operárias, pequenas, muito móveis e estéreis, viverão apenas algumas semanas, mas participarão de atividades bem mais variadas.

---

13. PERRIER, Jean Jacques. Comment l'abeille devient reine. *Pourlascience.fr*, 2010. Disponível em: <https://www.pourlascience.fr/sd/genetique/comment-labeille-devient-reine-10753.php>. Acesso em: 9 abr. 2019.

Pesquisas recentes indicam que, além da geleia real, outros fatores nutricionais influenciam na transformação das larvas em rainhas, em especial o ácido cumárico, uma substância fitoquímica presente em muitas plantas e frutas.[14]

COMPORTAMENTOS ADAPTATIVOS ANÁLOGOS NAS ABELHAS E NAS FORMIGAS

Uma experiência fundamental, realizada em 2008 por pesquisadores australianos, demonstrou que a supressão de uma enzima necessária à metilação do DNA (a metiltransferase do DNA) modificava o destino das larvas. Concluiu-se que as larvas, privadas dessa enzima determinante e alimentadas como futuras operárias (o que elas estavam destinadas a ser), transformaram-se em rainhas. Mesmo tendo recebido mel e pólen, elas se comportaram como se houvessem sido alimentadas com geleia real!

Como vimos, os jovens pesquisadores da Universidade do Arizona iniciaram o sequenciamento do DNA extraído do cérebro de rainhas e de operárias. Eles puderam identificar os locais metilados (as zonas onde ocorre o processo que condiciona a expressão dos genes) e os efeitos dessa marcação química na expressão

---

14. MAO, Wenfu; SCHULER, Mary A.; BERENBAUM, May R. A dietary phytochemical alters caste-associated gene expression in honey bees. *Science Advances*, v. 1, n. 7, 28 ago. 2015. Disponível em: <https://advances.sciencemag.org/content/1/7/e1500795>. Acesso em: 9 abr. 2019.

diferenciada de genes que levam à produção de proteínas distintas para as rainhas e para as operárias. Essa experiência permitiu compreender melhor a importância da geleia real e da metilação do DNA na expressão epigenética de um número reduzido de genes determinantes para a aquisição de características anatômicas, fisiológicas e comportamentais muito diferentes.[15]

As formigas constituem outro excelente modelo para o estudo do comportamento social. No mundo delas, o impacto da epigenética é ainda mais forte, pois consiste na substituição de algumas castas por outras. Se você passou um bom tempo observando formigueiros durante a infância, talvez tenha reparado que elas são compostas por três castas: as rainhas, as operárias (estéreis) e os machos. Também deve saber que existe apenas uma rainha em uma colônia de formigas. Talvez tenha até mesmo conseguido identificá-la, pois é a maior de todas. Ela é a única capaz de pôr ovos. Ao longo de sua vida, pode gerar milhões de ovos.

Enquanto as rainhas põem ovos, as operárias trabalham. Colocam em prática uma forma de inteligência coletiva para organizar a vida do formigueiro e transportar os materiais necessários à sua construção. Em algumas ocasiões, talvez você tenha facilitado a tarefa delas, tirando, com precaução, minúsculos obstáculos

---

15. HERB, Brian R. et al. Reversible switching between epigenetic states in honeybee behavioral subcastes. *Nature Neuroscience*, Londres, v. 15, p. 1.371-1.373, 16 set. 2012.

que se interpunham ao seu caminho. Em outras ocasiões, ao contrário, talvez você tenha sentido um prazer malicioso em desviá-las de sua rota, curioso para ver a quais soluções elas recorriam para chegar a seu objetivo. Apesar dos obstáculos, as formigas sempre encontram o caminho mais curto para buscar comida e trazê-la ao formigueiro. Como funciona essa inteligência coletiva?

Suponhamos que tenhamos colocado um pote de geleia virado de cabeça para baixo a certa distância de um formigueiro, e que ele só pudesse ser acessível se as formigas contornassem um obstáculo assimétrico: pela direita, o caminho seria mais curto; pela esquerda, mais longo. As primeiras formigas que encontram a comida têm chances iguais de retornar pela rota da esquerda e pela rota da direita. Sabe-se que as formigas são praticamente cegas e se comunicam pelas antenas, graças a uma substância com forte odor chamada "feromônio". Elas depositam uma pequena gota de feromônio no caminho para sinalizar que suas congêneres devem segui-las. Como o odor dos feromônios se dissipa depois de certo tempo, logicamente as formigas privilegiam a distância mais curta. Assim, quando elas se deslocam em uma curta distância, o odor de feromônios é mais forte se o circuito está mais congestionado. Dessa maneira, as chances de a formiga que vem em seguida escolher o caminho mais frequentado são maiores. Ao depositar seu perfume, cada nova formiga reforça, por um efeito de feedback positivo de amplificação (ou de autocatálise), a preferência por um caminho em relação a outro. Depois de certo tempo, toda a colônia de formigas terá escolhido o caminho mais curto.

Por que o caminho mais curto é o mais importante para as formigas? Simplesmente porque elas conseguem, dessa forma, economizar energia, que poderá ser reinvestida na limpeza e na manutenção do formigueiro, das rainhas, dos ovos. Isso contribui para a sobrevivência da espécie, no sentido darwiniano do termo.

Porém, é a coordenação coletiva que faz a diferença. Certas colônias abrigam dois tipos de castas de operárias com comportamentos sociais diferentes, ainda que possuam genes perfeitamente idênticos. O mais espantoso, como no caso das sociedades de abelhas, é que esses comportamentos e o aspecto físico próprio a cada casta não sejam determinados para a vida toda. Cientistas mostraram que é possível "reprogramá-las". Basta modificar os marcadores químicos que levam à expressão de certos genes. Eles intervieram na acetilação das histonas, esse mecanismo epigenético bem identificado que consiste em modificar quimicamente as proteínas associadas ao DNA. É a regulação epigenética que explica as diferenças entre as castas – como o fato de as formigas "guerreiras" possuírem mandíbulas potentes, que permitem que elas combatam seus inimigos e transportem alimentos pesados e grandes, ou de as formigas operárias, menores e mais numerosas, dedicarem todo o seu tempo à procura de alimento.

O biólogo E.O. Wilson conduziu uma experiência muito interessante.[16] Ele demonstrou que, ao eliminar uma parte importante de determinada casta em uma população equilibrada de formigas (compreendendo operárias ou guerreiras), as formigas restantes evoluíam de maneira a compensar essa diminuição: elas se metamorfoseavam em formigas pertencentes à casta destruída ou reduzida.[17] Desse modo, basta diminuir a população de uma casta (operárias, "enfermeiras", colhedoras ou rainhas), para vê-la reconstituir-se por meio da transformação epigenética.[18]

A INTELIGÊNCIA DAS PLANTAS

A inteligência coletiva das plantas é ainda mais espantosa. Se considerarmos algumas experiências recentes, veremos que elas desenvolvem comportamentos adaptativos ligados à epigenética.

Longe de serem organismos imóveis e inertes, os vegetais possuem uma forma de inteligência e até mesmo de inteligência coletiva. Em seu livro *A vida secreta*

---

16. WILSON, E.O. The origin and evolution of polymorphism in ants. *The Quarterly Review of Biology*, Chicago, v. 28, p. 136-156, 1953.

17. L'ÉPIGÉNÉTIQUE pour reprogrammer le comportement social. *Santelog.com*, 2016. Disponível em: <https://blog.santelog.com/2016/01/04/lepigenetique-pour-reprogrammer-le-comportement-social-science/>. Acesso em: 9 abr. 2019.

18. HOW bees decide what to be: reversible 'epigenetic' marks linked to behavior pattern. *ScienceDaily.com*, 2012. Disponível em: <https://www.sciencedaily.com/releases/2012/09/120916160845.htm>. Acesso em: 9 abr. 2019.

das árvores,[19] o engenheiro florestal Peter Wohlleben nos faz entrar no maravilhoso mundo desses seres sociais, descrevendo seus comportamentos misteriosos. A narração às vezes abusa das figuras de linguagem antropomórficas, mas atinge seu objetivo: os leitores jamais verão as árvores como antes!

Botânicos e biólogos certamente não esperaram por esse best-seller espantoso para estudar a inteligência ou a "vida social" das plantas. Um dos pioneiros da neurobiologia vegetal (fala-se também em fisiologia vegetal ou fitobiologia), o botânico italiano Stefano Mancuso, fundador do International Laboratory of Plant Neurobiology [Laboratório Internacional de Neurobiologia Vegetal], é conhecido por seu trabalho a respeito do funcionamento dos órgãos e dos tecidos vegetais. Ele revelou a uma comunidade científica no mínimo cética que as plantas possuem uma forma de memória: elas seriam capazes de memorizar o estresse (torção, pressão, quebra, quedas, mudança climática etc.) e de adaptar-se a ele.[20] Por exemplo, a memória da sensitiva (*Mimosa pudica*) pode compreender de alguns dias a um mês ou mais.

Ainda segundo a equipe de Mancuso, essa variedade de planta seria dotada também de capacidade de

---

19. WOHLLEBEN, Peter. *A vida secreta das árvores*. Tradução de Petê Rissati. Rio de Janeiro: Sextante, 2017.
20. MANCUSO, Stefano. The roots of plant intelligence. 2010. Disponível em: <https://www.ted.com/talks/stefano_mancuso_the_roots_of_plant_intelligence>. Acesso em: 9 abr. 2019.

aprendizagem. Os fitobiólogos "ensinaram" as plantas a ficarem abertas após um estímulo seguro, como uma queda de mais de 1 metro. Uma prova à qual as pobres plantas não apenas sobreviveram, mas, aparentemente, acostumaram-se. Após terem sido atiradas 60 vezes de uma altura de 1,50 metro, as plantas, que fechavam suas folhas a cada nova queda, acabaram parando de reagir – pelo menos um número significativo delas. Segundo seus algozes, as plantas teriam "introjetado" o fato de que nem toda queda representava um perigo verdadeiro.

Os entusiastas de plantas certamente observarão que, tendo em vista que nosso conhecimento da "psicologia" dos vegetais é limitado, pode ser que as pobres mimosas simplesmente não tenham mais sido capazes de reagir. A história não diz se elas estavam em estado de choque, mas nos ensina que a maior parte delas conservou, durante quatro dias, a memória dessa experiência repetida. Uma capacidade de memória fascinante e muito superior à dos insetos, que raramente ultrapassa 24 horas.

As plantas também seriam sensíveis à dor e possuiriam múltiplos captadores equivalentes aos sentidos da visão e do olfato. Elas teriam até mesmo desenvolvido sistemas de comunicação, utilizando moléculas difundidas pela atmosfera, um pouco como o modelo das redes sociais.

Os pesquisadores também descobriram que as raízes das plantas continham células extremamente sensíveis, comparáveis a neurônios e capazes de detectar informações específicas num ambiente próximo.[21] E, o que é ainda mais espantoso, as pesquisas revelam que os vegetais podem modificar sua fisiologia ou seu metabolismo em reação aos acontecimentos produzidos por seu ambiente. Por exemplo, diante de agressões repetidas de herbívoros que devoram suas folhas ou seus galhos baixos, as árvores (sobretudo a acácia) emitem sinais de alerta que circulam entre elas. "Prevenidas", as árvores desencadeiam uma função que acorda alguns de seus genes para produzir toxinas que afastam os predadores. Em outros termos, os impulsos que surgem do ambiente provocam a produção de moléculas que regulam a expressão de certos genes, ou seja, inibem-nos ou os ativam. Se eram deliciosas algumas horas antes, agora as folhas de acácia podem fazer adoecer, ou mesmo envenenar, os antílopes ou as girafas que as agridem. A mensagem é clara: é melhor ir pastar em outro lugar...

O professor Ian Baldwin, cientista americano, diretor do Instituto Max Planck de Ecologia Química, na Alemanha, e descobridor da inteligência das plantas,[22] não hesita em descrever a "sensibilidade vegetal", revelada por essas capacidades sensoriais e comportamentais,

---

21. BALUSKA, Frantisek. Recent surprising similarities between plant cells and neurons. *Plant Signaling and Behavior*, Seattle, v. 5, n. 2, p. 87-89, fev. 2010.
22. WOHLLEBEN, Peter. *A vida secreta das árvores*. Tradução de Petê Rissati. Rio de Janeiro: Sextante, 2017.

como "comparável, senão superior, à dos animais". Até os dias atuais, os cientistas identificaram nos vegetais mais de 700 captadores sensoriais diferentes (luminosos, térmicos, mecânicos, químicos etc.). Sabemos, assim, que as plantas "veem". Elas podem detectar o comprimento de ondas (no ultravioleta e no infravermelho da luz) e intensidades extremamente fracas que nós mesmos somos incapazes de perceber. Seu sentido do toque é muito superior ao nosso. Elas sentem o menor roçar, o menor movimento do ar causado por insetos, galhos ou raízes. Além disso, "sentem" e "ouvem". Com efeito, percebem centenas de sinais (temperatura, vento, luz, sol etc.) provenientes de seu ambiente imediato. Por fim, elas "falam" – ao menos, como vimos, emitem e detectam sinais químicos, em especial quando expostas a uma agressão (os terpenos, sobretudo, que são moléculas odorantes, fazem o papel de sinal de alerta).

A EPIGENÉTICA É A CHAVE DA SOBREVIVÊNCIA DOS VEGETAIS

Os cientistas mostraram que as plantas possuem milhares de genes que são expressos somente para produzir as proteínas ou os sinais moleculares necessários à sua sobrevivência ou à sua adaptação, embora elas não tenham cérebro ou sistema nervoso – ao menos no sentido do que os animais e os seres humanos possuem. A etologia vegetal ainda tem muito a explorar nesse mundo fascinante, que parece cada vez menos imóvel e passivo.

Segundo a opinião do biólogo e botânico Francis Hallé, não se pode falar em "uma memória ou uma aprendizagem comparável à nossa. Uma planta que raramente é regada, por exemplo, estará habituada a viver com pouca água; ela se 'lembra' disso. Por outro lado, se é regada com frequência, a ausência de água fará com que ela morra, uma vez que a planta depende também do que aconteceu a ela em épocas anteriores".[23] Essa memória em geral é ativada graças à expressão de um gene que até então estava inativo.

Para outro grande pesquisador, Lincoln Taiz, professor emérito da Universidade da Califórnia, "os genes podem ser modificados quimicamente por fatores ambientais como o estresse, e essas modificações epigenéticas podem, em alguns casos, ser transmitidas à geração seguinte. Essa sensibilidade do genoma é surpreendente, e mal começamos a explorar o alcance do controle epigenético no desenvolvimento da planta".[24]

De fato, ao contrário do animal e do ser humano, que podem se deslocar para escapar de um perigo ou de um predador, os vegetais devem sua longevidade

---

23. HALLÉ, Francis. Les plantes sont-elles des animaux comme les autres?. *Le Temps*, Genebra, 16 mar. 2016. Disponível em: <https://www.letemps.ch/sciences/plantes-sontelles-animaux-autres>.
24. TAIZ, Lincoln. *Plant physiology* [Fisiologia vegetal]. Sunderland: Sinauer Associates Inc., 1991.

apenas à variabilidade de seus genes e à epigenética. Esses genes, aliás, são encontrados em uma quantidade muito maior nos vegetais, em especial no arroz, que possui mais de 40 mil, enquanto o ser humano conta com menos de 30 mil. Contudo, apesar do número reduzido, os humanos também podem intervir no equilíbrio de seu corpo e manter sua boa saúde.

ADMINISTRAR SEU CORPO COM A EPIGENÉTICA

Graças a essas pesquisas, hoje compreendemos melhor os mecanismos moleculares da epigenética. O desafio consiste agora em conseguir aplicá-los para nos mantermos com boa saúde ou até mesmo retardarmos os processos de envelhecimento. É o que chamo de "administrar seu corpo com a epigenética". Trata-se de compreender o manual da epigenética para cada um de nós.

Imagine que você seja capaz de tomar o controle do seu corpo. Problemas de saúde ou sobrepeso podem obrigá-lo a isso. Quem nunca desejou adotar um estilo de vida mais equilibrado, comer melhor e fazer mais atividades, permitir-se mais lazer, passar mais tempo com pessoas próximas? Como encontrar a motivação em longo prazo? O que fazer para que as boas resoluções resistam por mais de algumas semanas, já que os benefícios podem não ser sentidos imediatamente?

A epigenética é sua melhor aliada. Ao lhe oferecer a possibilidade de agir, transformando-o em ator de sua própria evolução, ela abre um novo caminho para a responsabilização e para a liberdade dos seres humanos. A ideia aqui é explicar a você como colocá-la em prática em todos os campos da sua vida, pois seus comportamentos cotidianos influenciam na expressão de seus genes. E a epigenética não se limita à gestão do corpo, como veremos. Um "manual epigenético" permitiria a cada um realizar seu desejo: prevenir doenças e "envelhecer jovem" e com boa saúde, em vez de simplesmente viver por mais tempo. Uma tomada de consciência que nos oferece mais liberdade e, portanto, mais responsabilidade.

CAPÍTULO 2

Como mudar sua vida: a epigenética na prática

Essa gente me deixa doente!

"Ficar bem consigo mesmo", "sentir o sangue ferver", "carregar o mundo nas costas", "estar com os nervos à flor da pele"... Por muito tempo, cientistas e médicos subestimaram, ou até mesmo negligenciaram, as doenças e as disfunções fisiológicas e mentais ditas "psicossomáticas", ou seja, resultantes da relação fundamental entre mente e corpo.

Para entender as bases científicas dessas disfunções, foi preciso esperar os estudos de Rita Levi-Montalcini, uma grande pesquisadora italiana, vencedora do

Prêmio Nobel de Fisiologia ou Medicina em 1986, morta em Roma em 30 de dezembro de 2012. Graças à "psiconeuroimunologia", uma nova disciplina muito fecunda da qual foi pioneira no mundo, Levi-Montalcini apresentou as relações estreitas entre a rede hormonal, a rede nervosa e a rede imunológica que regulam o funcionamento do nosso corpo. Essas três redes se comunicam de maneira constante, em especial por meio de hormônios produzidos por uma delas e captados pelos receptores das células das outras. O grande avanço científico e médico que devemos a Rita Levi-Montalcini é o de ter demonstrado como e por que uma comunicação ruim entre essas três redes poderia dar origem a doenças nos adultos ou a problemas de desenvolvimento nas crianças. Em 1952, ela isolou o fator de crescimento nervoso nas células cancerosas.[1]

Falamos frequentemente de nossas doenças "psicossomáticas" – de como um desentendimento com o chefe, uma discussão política com amigos e um acidente de uma pessoa próxima podem afetar nosso estado mental e físico. "Isso me deixou doente" é uma expressão clássica usada nesse contexto. Significa que temos uma ideia de quanto nossos pensamentos e nosso humor têm impacto no nosso bem-estar. "Pensar

---

1. LEVI-MONTALCINI, Rita; ANGELETTI, Pietro U. Essential role of the nerve growth factor in the survival and maintenance of dissociated sensory and sympathetic embryonic nerve cells in vitro. *Developmental Biology*, Rockville, v. 7, p. 653-659, 1963.

positivo" determina nossa maneira de percebermos a nós mesmos e sentirmos o mundo em volta de nós. O que talvez desconheçamos é que, com a epigenética, podemos reorientar processos "psicossomáticos" negativos para uma direção benéfica à nossa saúde e ao nosso equilíbrio mental.

Vou propor a vocês um manual simples para colocar a epigenética em prática. O segredo reside em cinco palavras-chave, que constituem a base dos capítulos que se seguirão: alimentação, exercício, antiestresse, prazer e harmonia.

Alimentação equilibrada, exercício físico, redução do estresse, busca do prazer e de estar em harmonia com as relações humanas, sociais e familiares: eis as cinco "chaves" interdependentes da longevidade e do equilíbrio físico e mental, cujos efeitos acumulativos são determinantes para nossa saúde. Elas favorecem a produção de certo número de biomoléculas que, ao penetrarem no núcleo da célula, influenciam a expressão dos genes, sobretudo modificando as histonas (aquelas proteínas essenciais para a estrutura dos cromossomos descritas no capítulo 1). Essa prática epigenética cotidiana, além de ser fácil de aplicar, produz rapidamente resultados visíveis.

A revolução científica dos últimos vinte anos permitiu que descobríssemos diversas chaves da longevidade. Por exemplo, sabemos há muito tempo que o que comemos modifica a expressão de nossos genes. Da mesma maneira, a prática de esporte ou de ioga pode influenciar a expressão desses genes em um prazo muito curto. Reduzir o estresse e manter-se em harmonia com as relações sociais, profissionais e familiares também tem impacto sobre saúde.

Mantenhamos em mente que o corpo se comporta como um filtro: absorve todos os tipos de substâncias, elimina algumas e retém outras. Respeitar o equilíbrio alimentar significa gerenciar da melhor maneira aquilo que entra no corpo, para que ele funcione bem. Salvo algumas exceções, o organismo alimentado e cuidado corretamente se comporta como uma máquina bem lubrificada. Oferece um bom rendimento, sem o acúmulo de produtos parasitas.

REDUZIR AS CALORIAS AUMENTA A EXPECTATIVA DE VIDA

Graças a estudos realizados com ratos, camundongos, cães e macacos, sabemos há muito tempo que uma restrição calórica de 20% a 40% aumenta a expectativa de vida. Os animais, além de viverem por mais tempo, são mais ativos e ficam doentes com menos frequência. O mesmo tratamento aplicado à mosca, ao verme e ao levedo produz os mesmos efeitos. Está provado que uma alimentação pouco calórica é um fator de longevidade entre os seres vivos. Isso vale também para o ser humano. Da mesma forma, a prática regular do jejum, sob supervisão médica ou em clínicas especializadas, produz efeitos epigenéticos espetaculares.

No que diz respeito aos adultos, uma alimentação moderada corresponde a cerca de 2.200 calorias por dia. Para termos uma noção de quantidades, um americano consome em média 2.500 calorias por dia, enquanto um francês consome 2.300 e um japonês 1.800. É claro que as calorias não se equivalem: 2.200 calorias de chocolate ou de doces não produzirão os mesmos efeitos que uma quantidade equivalente em carne, frutas, legumes ou peixe. Se levarmos a sério, é fácil chegar a 1.900 calorias por dia compondo as refeições da seguinte maneira, por exemplo: café da manhã constituído por um iogurte, uma laranja, uma fatia de pão com geleia e chá; almoço com peito de frango, salada e fruta; jantar com sopa, massa com molho de tomate e fruta. A sabedoria popular recomenda: café da manhã de rei, almoço de príncipe, jantar de mendigo.

É certo que armazenar cotidianamente 3.500 a 4.500 calorias por refeição pode ser perigoso, sobretudo na ausência completa de exercício físico. Por outro lado, para pessoas que praticam um esporte intenso ou uma atividade profissional muito física, baixar o consumo para 1.900 calorias diárias pode provocar fome... Zelar pelo equilíbrio alimentar não significa cometer excessos. É preciso estar atento também à obsessão alimentar (ortorexia): algumas pessoas impõem a si mesmas tantas regras para reduzir calorias que poderiam até mesmo morrer de tédio! Evidentemente, é possível adotar um comportamento alimentar sadio sem tornar a vida triste. Eu indico alguns meios; cabe a cada um adaptar os menus em função de seus gostos, uma vez que a associação dos alimentos pode aumentar os efeitos da epigenética.

Em relação a bebidas, é melhor privilegiar a água em relação a refrigerantes e outras bebidas açucaradas. É também preferível limitar o consumo de álcool. As propagandas de água mineral sempre dizem algo assim: "Beba água e elimine!", e elas não estão mentindo. Já foi comprovado que beber de 1,5 litro a 2 litros de água por dia facilita e acelera a eliminação de produtos tóxicos (transportados pelo sangue), fazendo funcionar a bexiga e os rins, que agem como uma estação de limpeza aberta 24 horas por dia.

A REGRA DE OURO: COMER COLORIDO

Os nutricionistas nunca perdem a oportunidade de lembrar esta regra fácil de memorizar, até mesmo para as crianças: "Coma colorido!". Eles têm razão: as frutas e os legumes coloridos, sobretudo vermelhos, amarelos, alaranjados, azulados e roxos, contêm antioxidantes e anti-inflamatórios. Coma dois ou três legumes diferentes por dia (espinafre, couve-de-bruxelas, vagem, ervilha), se possível *in natura* (a fim de evitar conservantes e açúcar). Cozinhe-os, de preferência, no vapor. Se fôssemos realmente razoáveis, comeríamos também três ou quatro frutas diferentes num dia. Por exemplo, uma laranja de manhã, uma pera ou uma banana no almoço, morangos, framboesa ou uvas no jantar. As maçãs contêm pectinas, verdadeiras esponjas do colesterol. E, como dizem os ingleses, *An apple a day keeps the doctor away* [Uma maçã por dia mantém o médico distante], "contanto que você mire bem na cabeça!", brincava Winston Churchill.

Além disso, é benéfico aumentar o consumo de frutas secas, ricas em fibras alimentares e minerais, caso você não esteja com sobrepeso (esses alimentos são muito calóricos). Um dos alimentos mais equilibrados no café da manhã é o *müsli*, uma mistura tradicional suíça de frutas secas, nozes, avelãs, uvas-passas, cevada e aveia.

COMA GORDURA E LIMITE O SAL

Enquanto a maior parte dos especialistas em nutrição pensava que era necessário reduzir a gordura animal, um estudo recente mostra, ao contrário, as virtudes de "comer gordura".[2] Durante sete anos, os pesquisadores do Pure (Prospective Urban Rural Epidemiology) [Prospectiva de Epidemiologia Rural-Urbana] estudaram a alimentação e a saúde de mais de 135 mil indivíduos com idades entre 35 e 70 anos em 18

---

2. DEHGHAN, Mahshid et al. Associations of fats and carbohydrate intake with cardiovascular disease and mortality in 18 countries from five continents (PURE): a prospective cohort study. *The Lancet*, Londres, 29 ago. 2017. Disponível em: <https://www.thelancet.com/journals/lancet/article/PIIS0140-6736(17)32252-3/fulltext>. Acesso em: 9 abr. 2019.

países. De acordo com o que observaram, os regimes mais ricos em glucídios são associados a um aumento do risco de mortalidade. E uma alimentação muito pobre em gordura também eleva esse risco.

O site Futura Santé, que resume essa publicação científica importantíssima, indica: "Os pesquisadores, que recomendam uma proporção 'ideal' de 50-55% de glucídios (açúcares) e 35% de lipídios (gorduras), sugerem que certas recomendações oficias sejam reavaliadas de forma a incitar a população a comer menos glucídios".[3] As gorduras (animais, vegetais), com exceção das gorduras industriais, são indispensáveis ao organismo. Elas protegeriam até mesmo contra o câncer. Isso perturba bastante muitas ideias preconcebidas – ou, na verdade, impostas desde os anos 1960 pelos lobbies agroalimentar e farmacêutico.

Não esqueçamos os benefícios do peixe selvagem pescado no mar, rico em óleos ômega 3. Prefira-o ao peixe de cativeiro, saturado de antibióticos e alimentado com farinha animal. Os peixes grandes, como o salmão, que dominam a cadeia alimentar, também concentram mais produtos tóxicos e metais pesados. Vale mais a pena comer peixes pequenos... antes que sejam devorados pelos grandes.

---

3. RAY, Marie-Céline. Régime: réduisez les glucides plutôt que les graisses. *Futura Santé*, Saint-Raphaël, 30 ago. 2017. Disponível em: <https://www.futura-sciences.com/sante/actualites/nutrition-regime-reduisez-glucides-plutot-graisses-55133/>. Acesso em: 9 abr. 2019.

OS EFEITOS BENÉFICOS DO AZEITE NAS ARTÉRIAS

Se você for utilizar gorduras líquidas, opte pelas gorduras ditas "insaturadas". Elas são consideradas mais saudáveis em razão de sua estrutura molecular. Com efeito, as cadeias de lipídios são os principais componentes das membranas de nossas células. São chamadas de "saturadas" quando estão localizadas umas contra as outras em filas apertadas, impedindo, assim, toda a comunicação com o exterior. Se são dobradas no meio, são chamadas de "insaturadas". Nesse caso, o espaço livre entre as membranas permite que a célula troque componentes essenciais com seu exterior. Entre os óleos benéficos, podemos citar o azeite, o óleo de colza, os óleos de borragem (planta rica em ácidos graxos insaturados) e os óleos de peixe ômega 3.

Uma publicação de Valentini Konstantinidou e de sua equipe da Universidade Pompeu Fabra, de Barcelona, demonstrou o efeito benéfico do azeite na redução de doenças cardiovasculares.[4] O azeite virgem melhoraria também a memória e protegeria contra a doença de Alzheimer. O objetivo das pesquisas de Konstantinidou era verificar as consequências associadas ao tradicional "regime cretense" e ao consumo de azeite virgem nas

---

4. COVAS, María-Isabel; KONSTANTINIDOU, Valentini. Olive oil and cardiovascular health. *Journal of cardiovascular pharmacology*, Philadelphia, v. 54, n. 6, p. 477-482, dez. 2009. Disponível em: <https://www.researchgate.net/publication/38038055_Olive_Oil_and_Cardiovascular_Health>. Acesso em: 9 abr. 2019.

modificações da expressão de genes ligados à arteriosclerose (doença ligada ao envelhecimento das artérias). Esse estudo clínico foi realizado num período de três meses com 90 voluntários com idades entre 20 e 50 anos, em condições estatísticas rigorosas. Os resultados são conclusivos: os pesquisadores puderam demonstrar uma diminuição da expressão de genes diretamente ligada à inflamação e ao estresse oxidante, que tem efeitos nefastos no sistema cardiovascular. Esse trabalho ilumina as propriedades nutrigenômicas e os efeitos naturais, benéficos para a saúde, dos polifenóis contidos no azeite virgem.

Nosso complexo organismo é ávido por nutrientes de boa qualidade, prontos para serem transformados em energia, pois o corpo humano é uma máquina de transformar energia, uma "central térmica" que garante a autonomia energética das células essenciais à vida, satisfazendo suas necessidades de oxigênio. Nosso combustível são os nutrientes que absorvemos e que nossa máquina transforma em energia para nos manter vivos. A expressão "queimar calorias" faz, portanto, todo o sentido. Para fornecer energia suficiente ao bom funcionamento do nosso metabolismo, a central deve funcionar sem interrupção. Mas pode acontecer de ela ficar velha ou defeituosa, e de seu rendimento energético não ser suficiente para produzir as reações químicas necessárias para a reciclagem dos detritos energéticos (os famosos radicais livres) armazenados no organismo.

De fato, o envelhecimento leva a uma baixa no rendimento energético. Privado de energia vital para transformar nutrientes em combustível, o organismo fica exposto a doenças neurodegenerativas, como Alzheimer ou Parkinson, para citarmos apenas algumas, que atingem prioritariamente as populações mais idosas. Os tecidos cancerosos consomem dez vezes mais glicose do que as células sadias. O Pet Scan é uma operação, realizada em hospital, que consiste em injetar glicose marcada com flúor radioativo na veia do paciente. Pode-se, assim, seguir claramente o caminho percorrido pela glicose, o que permite verificar se existem metástases ou medir a eficácia dos tratamentos em curso.

Essa é a razão pela qual os médicos geralmente recomendam a seus pacientes limitar o consumo de açúcar na alimentação. Alguns prescrevem um regime cetogênico muito rígido, isto é, uma dieta que exclui todos os açúcares (rápidos e lentos). Uma alimentação dita "normal" é constituída de 50% de glucídios (açúcares), 35% de lipídios (gorduras) e 15% de proteínas. No regime cetogênico, os açúcares são substituídos por gorduras: 90% das calorias são lipídios, 8% são proteínas e 2% são glucídios. A eficácia dessa dieta alimentar rica em gorduras e limitada em proteínas também é reconhecida no tratamento da diabetes, da obesidade e até mesmo da doença de Alzheimer.

É a degradação dos ácidos graxos pelo fígado que produz corpos cetogênicos – o butirato, que contribui de maneira determinante para o bom funcionamento da flora intestinal, ou a acetona, que libera energia quando o açúcar não consegue penetrar corretamente nas células. Tecnicamente, se você reduzir o consumo de açúcar e substituí-lo por gorduras, seu fígado reagirá de forma automática, secretando moléculas de "cetonas". O organismo, em estado de cetose, não terá escolha a não ser puxar sua energia desses corpos cetônicos.

AÇÚCAR, UM VENENO PARA SEU CORPO

Se você é um entusiasta de açúcares (glicose, frutose...) – doces, sorvetes, geleias, açúcar branco, pão, massas, batatas, frutas (as mais açucaradas) e outras doçuras –, fazer um regime assim pode ser bem frustrante. Talvez você precise de um pouco de tempo para privar seu organismo e perder a vontade de açúcar. Por outro lado, esse regime será uma alegria para os comedores de gordura, manteiga, creme, queijos (nem todos), óleos, frutas pouco açucaradas e abacates. Você pode encontrar muitos livros de receitas cetogênicas (adequadas também aos vegetarianos).[5]

---

5. Por exemplo, o livro de WALKOWICZ, Magali. *Cétocuisine* [Cetoculinária]. Vergèze: Thierry Souccar Éditions, 2015, que contém 150 receitas cetogênicas. A lista de alimentos cetogênicos pode ser consultada aqui: <http://regimeketo.com/principe-diete-cetogene/guide-des-aliments-cetogenes/>. Ver também o livro do doutor SCHWARTZ, Laurent. *Cancer, un traitement simple et non toxique. Les premiers succès du traitement métabolique* [Câncer, um tratamento simples e atóxico: os primeiros sucessos do tratamento metabólico] (com prefácio do Professor

O açúcar puro (a sacarose extraída da cana-de-açúcar e da beterraba) incita o corpo a produzir insulina e a colocá-la de reserva (sob a forma do glicogênio) – uma reserva pronta para ser usada no caso de o organismo precisar de um suplemento de energia. Um consumo exagerado de açúcar pode provocar um desregulamento dessa bomba de insulina, acelerando o metabolismo, o que tem como efeito aumentar a oxidação do corpo, "queimando" ainda mais gorduras e açúcares... Vale mais a pena degustar iogurtes naturais, sem adição de açúcar. Se precisar adoçá-lo, adicione um pouco de melaço. Esse resíduo de açúcar não cristalizado contém muitos sais minerais. Ao menos assim você vai absorver fósforo, magnésio e ferro – nutrientes que dão energia, oxigenam o sangue e estimulam o sistema imunológico.

Já os açúcares ditos "lentos" (massas, batatas, pães, pizza...), liberados mais lentamente no corpo, não provocam uma superprodução de insulina. Alguns nutricionistas acreditam, no entanto, que o excesso de açúcares lentos pode provocar um superaquecimento da máquina de insulina e, consequentemente, acelerar os metabolismos, levando a um envelhecimento prematuro das células.

Na Grécia antiga, Hipócrates, o Pai da Medicina, recomendava aos epiléticos a adoção de um regime alimentar sem açúcar e à base de gorduras. Nos dias de

---

Luc Montagnier, Nobel de Medicina). Vergèze: Thierry Souccar Éditions, 2016.

hoje, a "terapia cetogênica" também é aconselhada aos epiléticos que recusam ou reagem mal a tratamentos químicos. Sinto muito pelos produtores de açúcar, mas ele é um acelerador do envelhecimento. E não é, de modo algum, essencial para a manutenção da vida.

VIVA O CHOCOLATE AMARGO COM 70% DE CACAU!

A francesa Jeanne Calment, a mulher mais velha do mundo até sua morte, aos 122 anos, admitia adorar chocolate. Quando os jornalistas lhe perguntavam sobre o segredo de sua longevidade, ela se divertia ao responder que tudo se devia ao seu pequeno pecado... Como você pode ver, nada o impede de permitir a si mesmo pequenos venenos conhecidos e inofensivos. O chocolate ao leite, açucarado demais, para ser totalmente honesto, não é recomendado. Mas o chocolate composto de 70% de cacau possui inúmeros elementos nutritivos, como magnésio, estimulantes do sistema nervoso (como a teobromina), cafeína e serotonina em pequenas quantidades com efeitos antidepressivos (que compensam a perda dessa molécula no cérebro). O cacau contém, além disso, polifenóis como a catequina, um dos principais componentes do chá, que possui propriedades antioxidantes, e feniletilamina, que imita o hormônio produzido quando estamos apaixonados e estimula a produção de endorfinas (os opiáceos naturais do cérebro). Seus benefícios também são decorrentes de moléculas próximas ao THC (um dos componentes da maconha) que se fixam aos mesmos receptores do cérebro que a *cannabis*. Tenho certeza de que agora alguns leitores entenderão melhor por que são "viciados" em chocolate!

MISTÉRIOS E VIRTUDES DA COMPLEMENTAÇÃO ALIMENTAR

Privar-se de carne virou tendência. Em reação aos escândalos sanitários e às denúncias de maus-tratos sofridos pelos animais na pecuária, os adeptos da alimentação vegetariana (que exclui o consumo de carne animal) ou mesmo vegana (que exclui qualquer produto proveniente de animais e de sua exploração) são cada vez mais numerosos. O fenômeno vai além de uma simples moda; ele se inscreve em um estilo de vida. Cada um é livre em suas escolhas alimentares. Porém, quaisquer que sejam suas motivações, é preciso saber que um regime sem carne somente será equilibrado se associar corretamente diversos alimentos (legumes, leguminosas, cereais) em um mesmo prato. É o princípio da *complementação*. É melhor pensar nisso antes de mudar de regime, pois os resultados têm o risco de serem contrários às suas expectativas!

Como mencionei no capítulo 1, nosso corpo, para fabricar o leque de proteínas necessárias ao seu metabolismo, tem necessidade absoluta de cada um dos 20 aminoácidos identificados. Se apenas um desses aminoácidos vier a faltar (estamos falando do *fator limitante*), o organismo definhará. Imagine que você precise fabricar 10 bandeiras tricolores, com branco, azul e vermelho: você precisa de 10 faixas azuis, 10 brancas e 10 vermelhas. Se você tem 10 faixas azuis, 10 brancas, mas somente 2 vermelhas, esse fator limitante (2 faixas vermelhas em vez das 10 necessárias) reduzirá sua produção a apenas 2 bandeiras tricolores.

Você sabia que, dos 20 aminoácidos essenciais à nossa sobrevivência, 8 não podem ser fabricados pelo organismo? Trata-se do triptófano, da lisina, da metionina, da fenilalanina, da treonina, da valina, da leucina e da isoleucina. Esses aminoácidos devem vir da alimentação. Por exemplo, se nos alimentarmos exclusivamente de arroz, teremos deficiência em lisina. Se comermos somente grão-de-bico, nosso organismo sentirá muita falta de metionina. É por essa razão que observamos essas carências em crianças de certos países da África, cuja alimentação é constituída exclusivamente de mandioca. Elas não recebem todos os aminoácidos, e sua saúde é afetada gravemente. Os aminoácidos ausentes constituem um fator limitante.

A COMPLEMENTAÇÃO, UMA RECEITA UNIVERSAL

Seria coincidência o fato de pratos tradicionais de vários países seguirem receitas parecidas? Gostaria de falar sobre complementação alimentar. As populações do

Norte da África combinam cuscuz de farinha de trigo (rica em metionina) com grão-de-bico (rico em lisina). Na Índia, consome-se arroz acompanhado de lentilha. Os russos têm o hábito de combinar a cevada ao *kacha* (um ensopado à base de trigo sarraceno, milho, aveia ou cevada). Na China, come-se soja como complemento do arroz. Os mexicanos se alimentam principalmente de feijões vermelhos combinados com milho. Os brasileiros comem o arroz com feijão. Todos esses pratos tradicionais praticam a complementação lisina-metionina. Em outros lugares, usa-se a complementação, mas privilegiando certos alimentos de origem animal, como leite e queijo. Você já deve ter provado o surpreendente *porridge* [mingau] dos ingleses, feito de aveia e leite, ou o suculento espaguete com queijo dos italianos...

Os povos tradicionais, que consumiam ervilhas, grão-de-bico, favas ou soja (ricos em lisina) *com* arroz ou farinha (ricos em metionina), conheciam intuitivamente as regras da complementação alimentar. Eles não sabiam, no entanto, que a associação entre arroz e lentilhas permite fabricar proteínas equivalentes às proteínas da carne, contendo todos os aminoácidos. Por exemplo, ao consumirmos 2 xícaras de milho e ½ xícara de feijão, obtemos o equivalente em proteínas de uma bisteca de 100 gramas. Mas, se absorvermos esses alimentos *ao mesmo tempo*, a complementação produzirá o equivalente em proteínas de um bife de 143 gramas, ou seja, quase 50% a mais!

No passado, uma alimentação vegetariana bem complementada possibilitava às civilizações primitivas manterem uma boa saúde. Os antigos fabricavam proteínas importantes para o corpo e para o cérebro, assim como praticavam uma economia inteligente. Usavam a renda gerada na fazenda, e não seu capital. Conservavam as galinhas para os ovos, as vacas para o leite e os bois para puxar a carroça. Reservavam o porco para as festas. É claro, estou caricaturando um pouco, mas minha intenção é mostrar que esses princípios básicos de uma boa gestão tradicional também são aplicados pela bioquímica (por meio das reações químicas benéficas para o organismo).

As regras de um "bom rango"

É recomendado consumir cotidianamente os seguintes produtos naturais:

Pela manhã: 1 copo grande de suco de romã orgânico, 1 xícara de chá verde orgânico, 1 maçã *golden* orgânica com a casca bem lavada (escovada); 1 prato de cereais integrais sem açúcar (müsli ou mingau) com leite de soja; 1 iogurte com bifidobactérias; avelãs, amêndoas descascadas e uvas-passas do tipo sultanas (orgânicas); 2 comprimidos de ômega 3 e 1 de cúrcuma.

No almoço: pouca gordura, nunca carnes transformadas (embutidos, linguiças, patês), e sim peixe, ave ou carnes magras com legumes e frutas. Beber 1,5 litro de água mineral, ou seja, o equivalente a 8-9 copos grandes. Após o almoço: 2 ou 4 pedaços de chocolate amargo 70% cacau.

Durante o almoço ou diariamente: 2 taças pequenas de vinho tinto.

No jantar: uma sopa de legumes "caseira" (e não sopas prontas ou pratos prontos em geral: eles contêm conservantes, colorantes, realçadores de sabor...).

Acrescente de vez em quando à sopa: verduras, arroz integral ou molho de tomate com espaguete (integral) e ½ colher (café) de pó de cúrcuma (anti-inflamatório e antiartrose), se não tomou um comprimido pela manhã. Em geral, é preferível comer pouco (manter uma refeição frugal, não repetir, parar quando saciar 80% da fome).

Tenha em mente que "queimar" gordura – que não é o mesmo que "queimar calorias" – é "aumentar os músculos". O *bodybuilding* (levantamento de peso, abdominais, bicicleta ergométrica, remo...) "come" gordura e irriga o cérebro.

Evite a todo custo os regimes radicais, as dietas com exclusivamente um ou outro alimento. Os nutrientes e os suplementos alimentares se reforçam uns aos outros: seus efeitos são multiplicados por mil, ou até por 10 mil, quando eles são ingeridos ao mesmo tempo (como cúrcuma com pimenta-do-reino).

A alimentação equilibrada é uma das chaves da prática epigenética. Mas não devemos apenas pensar em nós mesmos. Seres minúsculos vivem em simbiose com nosso corpo. Eles cumprem um papel essencial na nossa vida. Ainda que a medicina tradicional já conhecesse o papel vital da flora intestinal, só recentemente foi descoberta a importância desses micróbios úteis ao nosso corpo. É por isso que devemos também alimentá-los de forma equilibrada e, sobretudo, evitar envenená-los com alimentos ou bebidas tóxicas e medicamento sem excesso.

CAPÍTULO 3

Nossos amigos micróbios

Você sabia que nosso corpo é um verdadeiro hotel de micróbios? Já somos um macro-organismo composto por 6 trilhões de células humanas, mas, além delas, mais de 100 trilhões de células bacterianas elegeram esse endereço como seu domicílio! Os micróbios que vivem no interior de nosso intestino (a flora intestinal) e em diferentes partes do nosso corpo constituem o "microbioma". Eles são úteis à nossa vida,[1] pois não somente produzem vitaminas e aumentam nossas defesas imunológicas, mas também nos protegem contra outros micróbios perigosos.

A flora microbiana vive, então, em simbiose com seu hospedeiro (nós). Ela é constituída de bactérias,

---

1. ENDERS, Giulia. *O discreto charme do intestino*: tudo sobre um órgão maravilhoso. Tradução de Karina Jannini. São Paulo: WMF Martins Fontes, 2017.

paramécios e microfungos que representam o que chamamos também de micro-organismos *comensais*. Esse termo, oriundo do latim *cum* (com) e *mensa* (mesa), significa simplesmente: "Com quem estamos à mesa todos os dias da nossa vida". Existem quatro principais floras: a que vive sobre a pele, a dos brônquios e pulmões, e as floras dos sistemas genital e digestório. Esses micróbios constituem a população mais abundante e mais variada.

O microbioma é um verdadeiro "órgão" que pode pesar até 5 quilos. Ele secreta hormônios, vitaminas, desempenha uma função em certas desregulações cerebrais, estimula a imunidade. Possibilita também lutar contra outros vírus ou bactérias ditos "oportunistas", suscetíveis de colonizar esse "hotel". Como veremos mais adiante, os micróbios coevoluíram com os humanos – uma aptidão admirável que esses "hóspedes" desenvolveram por frequentar intimamente seu hospedeiro.

É PRECISO DEIXAR NOSSO MICROBIOMA "FELIZ"

A melhor maneira de ter um microbioma equilibrado e produtor de biomoléculas que nos mantenham saudáveis é alimentá-lo com produtos que vão influenciar o epigenoma. Quando se menciona o genoma humano, geralmente se omite a menção ao "metagenoma". Sob esse nome, escondem-se as populações bacterianas que povoam nosso organismo. O metagenoma é, assim, constituído não somente por nossos 25 mil ou 35 mil genes, mas também por 10 milhões de genes microbianos.

Com estes últimos, constituímos um *superorganismo.*
O que comemos todos os dias determina o equilíbrio desse superorganismo e, portanto, de seu metagenoma. Existe atualmente uma ciência que estuda a relação entre alimentação e os genes, sejam os nossos, sejam os dos nossos bons micróbios: a *nutrigenômica*. Essa nova disciplina, que nasceu de um casamento entre a genômica e as ciências da nutrição, possibilitou que confirmássemos os impactos da alimentação na prevenção e no tratamento de doenças.

Claudine Junien, pequisadora do Institut National de la Santé et de la Recherche Médicale [Instituto Nacional da Saúde e da Pesquisa Médica] (Inserm), define a nutrigenômica nos seguintes termos: "A nutrigenômica, também chamada genômica nutricional, estabelece interações entre os genes e a alimentação. Ela estuda, entre outras coisas, os genes envolvidos na absorção, no transporte, no porvir e na eliminação dos nutrientes, assim como seus mecanismos de ação. A nutrigenômica estuda a maneira como os alimentos, os nutrientes e certas práticas alimentares podem influenciar na expressão dos genes, por meio das modificações epigenéticas no decorrer do desenvolvimento e ao longo de toda a vida".[2] Alguns especialistas acreditam que logo será possível propor recomendações alimentares "sob medida". Essas recomendações levariam em consideração não somente as necessidades nutricionais adaptadas a cada metabolismo ou especificidade corporal (idade, atividades físicas ou profissionais, estresse, depressão...), mas também as características genéticas de cada paciente.

Essa jovem disciplina, complementar à farmacogenômica (o estudo dos efeitos dos medicamentos no genoma), também possibilitaria ajustar tratamentos adaptados que levariam em conta as especificidades genéticas e biológicas do indivíduo, tanto quanto seu modo de vida e seu ambiente. Essa medicina personalizada, preventiva e previdente deve se "democratizar" graças aos progressos tecnológicos, à e-saúde conectada e a tudo o que torna cada vez mais acessível a decodificação genética/biológica. Com efeito, hoje é possível obter o sequenciamento do DNA por cerca de 200 euros.

O MICROBIOMA SE COMUNICA COM NOSSO CÉREBRO

O microbioma tem uma relação com nosso cérebro. É preciso lembrar que o peso total de bactérias abrigadas em nosso corpo (por volta de 5 quilos) é *superior* ao

---

2. JUNIEN, Claudine. *Qu'est-ce que la nutrigénomique?*. 2009. Disponível em: <https://www.dailymotion.com/video/x7qtw2_claudine-junienqu-est-ce-que-la-nu_lifestyle>. Acesso em: 9 abr. 2019.

peso do cérebro (2 quilos, em média). Esse microbioma é capaz de produzir inúmeras substâncias neuroativas (com efeitos neurolépticos, antidepressivos etc.) e pode ser considerado um sistema de regulação do comportamento. Pesquisas recentes provam que ele pode influenciar funções cognitivas, comportamentos, interações sociais e administração do estresse. Por exemplo, o sistema serotoninérgico (antidepressivo) do cérebro, que desempenha um papel fundamental na atividade emocional, é inapto para se desenvolver normalmente na ausência dos micróbios do corpo.

Um estudo realizado em ratos demonstrou que o estresse sofrido pela mãe (antes ou no momento da concepção dos filhotes) modificava a expressão de um dos principais genes implicados na resposta ao estresse nela mesma e na prole. Da mesma maneira, o estresse crônico sofrido por camundongos é transmitido às gerações seguintes por um mecanismo epigenético. Como mencionei no capítulo 1, os pais não transmitem somente os genes aos filhos. Também no caso dos humanos é possível a transmissão do estresse pela epigenética. Mas nossos comportamentos podem limitar, ou até mesmo apagar, os efeitos negativos.

POSSUÍMOS UM SEGUNDO CÉREBRO... NO INTESTINO!

Parece incrível, mas abrigamos um "segundo cérebro" em nosso intestino, um "cérebro " composto de mais de 100 milhões de neurônios! Ele é chamado de "cérebro entérico" e está ligado permanentemente ao que está dentro da nossa cabeça. Temos um pouco de dificuldade de imaginar que uma grande parte de nosso equilíbrio psíquico depende desse "cérebro da barriga". Ele é, frequentemente, a fonte de tal equilíbrio, pois contribui para produzir e distribuir em nosso corpo os neurotransmissores ativos no cérebro.

Com efeito, o cerne da comunicação cérebro/microbioma compreende múltiplos setores interconectados: o sistema nervoso central (SNC), os sistemas simpático e parassimpático, os sistemas neuroendócrino e neuroimunológico, o "cérebro entérico" de nosso intestino, e, certamente, o microbioma.[3] Essa comunicação se realiza nos dois sentidos: os sinais provenientes do cérebro podem influenciar as modalidades de secreção das bactérias do microbioma e, em contrapartida, as mensagens provenientes do intestino podem influenciar funções cerebrais e desencadear efeitos negativos, por exemplo, no rendimento do trabalho e na eficácia intelectual.

Hoje sabemos identificar centenas de milhares de genes influenciados por nossos estados mentais subjetivos. A "genômica social" surgiu nesse contexto. Como consequência da diminuição dos custos do

---

3. MAYER, Emeran A. et al. Gut microbes and the brain: paradigm shift in neuroscience. *The Journal of Neuroscience*, Danvers, v. 34, n. 46, p. 15.490-15.496, 12 nov. 2014.

sequenciamento e da capacidade de produção e de análise de volumes de dados importantes (o Big Data), essa genômica se abre para novos domínios de exploração, não somente para os pesquisadores de biologia, mas também para os especialistas em ciências humanas e sociais. Os desafios nos planos éticos, econômicos, legais e sociais podem provocar mudanças econômicas e sociais complexas. Esse novo setor de estudos psicossociológicos revela que as condições de trabalho, sobretudo a percepção subjetiva da maneira como nossas contribuições profissionais são reconhecidas, recompensadas e valorizadas, podem mudar profundamente o estado de expressão de alguns de nossos genes. Da mesma maneira, aliás, que podem mudar nosso comportamento pessoal no trabalho. O desequilíbrio da hipoglicemia das 11 horas, para aqueles que não tomam café da manhã, é um sintoma clássico. Muitos a compensam fumando cigarros, consumindo doces ou bebendo café.

Por outro lado, as práticas alimentares tradicionais, como o "regime cretense" evocado anteriormente, possibilitam aumentar a produtividade no trabalho por meios naturais. Vimos que uma alimentação pouco diversificada, pobre em legumes e fibras, assim como o consumo prolongado de certos remédios e antibióticos, além do álcool e do cigarro, deixa nosso microbioma doente. Submetido a repetidos excessos, o microbioma produzirá uma quantidade menor de produtos essenciais à nossa saúde física e mental. Haverá uma carência de vitaminas ou de biomoléculas que contribuem para reforçar nosso sistema imunológico. É um fato: é mais difícil lutar de modo eficaz contra as bactérias ou vírus que atacam nosso corpo com um microbioma em más condições de saúde. Ficamos mais cansados, deprimidos ou frequentemente doentes com pequenas modificações resultantes de uma diminuição das defesas imunológicas.

O QUE O MICROBIOMA FAZ CONCRETAMENTE POR NÓS?

Para resumir, diria que nossa vida reflete uma interdependência estreita, além do genoma, entre três campos que poderíamos representar como três círculos que se entrecruzam: o ambiente, a epigenética e, finalmente, o microbioma. Nosso organismo se situa na interseção desses três círculos, e cada um deles desempenha um papel essencial. Atualmente, conhecemos bem os fatores externos negativos que influenciam nossa vida: o Sol, o barulho, a poluição devida a toxinas presentes no ambiente, a temperatura, as catástrofes naturais, o estresse, os acidentes... Todos eles podem, em graus diversos, alterar nossos genes. Porém, sem a flora intestinal, simplesmente não poderíamos sobreviver. É radical assim. O mais espantoso é que a estrutura do microbioma e sua composição podem se modificar muito rapidamente. Estudos mostram que crianças que vivem em ambiente rural e são expostas a animais, poeira ou mofo são claramente menos sujeitas a alergias, sobretudo a asma, do que aquelas criadas em ambientes urbanos, nos quais a higiene, imposta por hábitos sociais e pelos pais, é em geral mais rigorosa.[4] Mais uma vez, os resultados obtidos em laboratório evidenciam a interação muito forte entre ambiente externo, microbioma e epigenética.[5]

Todas essas observações confirmam que podemos intervir permanentemente em nossa saúde ao modificar nossos comportamentos e, assim, apreciar os resultados epigenéticos quase em tempo real. No entanto, e como sempre ocorre com a epigenética, essas mudanças são reversíveis... de um jeito ou de outro! Para constatá-lo, basta tomar algumas precauções, mudar os hábitos e aplicar certas regras que favoreçam as diversas formas de interação com nosso ambiente. As "boas práticas" (regime de alimentação variado, prática regular e moderada de exercício...) não vão curar todos os nossos males, mas contribuirão de maneira significativa para diminuir o número desses males ou seus efeitos.

---

4. HULIN, Marion; ANNESI-MAESANO, Isabella I. Allergies et asthme chez l'enfant en milieu rural agricole. *Revue des Maladies Respiratoires*, Paris, v. 27, n. 10, p. 1.195-1.220, dez. 2010.

5. HANSKI, ILLKA et al. Environmental biodiversity, human microbiota and allergy are interrelated. *PNAS*, Washington, v. 109, n. 21, p. 8.334-8.339, 22 maio 2012.

CAPÍTULO 4

Esporte, prazer, meditação: as outras chaves da epigenética

Os efeitos epigenéticos positivos do esporte

Depois da alimentação, a prática regular do esporte e do exercício é um fator determinante para ativar, "desligar" ou "acionar" alguns genes graças à epigenética. É o que revelam os estudos publicados em 2012 pelo professor Carl Johan Sundberg, do Karolinska Institutet de Stockholm, na Suécia.[1] Sua equipe explica que

---

1. SUNDBERG, C.J. et al. An integrative analysis reveals coordinated reprogramming of the epigenome and the transcriptome in

um pouco de exercício regular produz um efeito epigenético incontestável, modificando o DNA das células musculares. O esporte é bom para a saúde – isso não é uma descoberta, e ninguém ousa contradizer tal informação. Na verdade, o interesse desse estudo, realizado com 14 pessoas não praticantes de esportes que aceitaram o desafio de pedalar em uma bicicleta ergométrica durante vinte minutos, era confirmar que não somente o organismo se adapta a exercícios, mas que ele o faz com uma rapidez impressionante.

O esforço físico provoca modificações quase instantâneas. Quanto mais considerável é o esforço, mais importantes são as modificações epigenéticas. Além disso, os pesquisadores verificaram que essa metilação (a modificação na expressão dos genes) resultava exclusivamente das contrações musculares: os hormônios e os neurotransmissores não contribuíam. E, como vimos no caso da experiência com as abelhas, o efeito epigenético é reversível: após algumas horas de recuperação, os genes voltaram a seu estado inicial. Consequentemente, se você considera praticar um esporte somente de vez em quando, sinto muito por decepcioná-lo: apenas a prática regular pode trazer mudanças epigenéticas em longo prazo.

Estima-se que haja aproximadamente 5 mil sítios (regiões codificadoras) divididos entre os genes envolvidos

---

human skeletal muscle after training. *Epigenetics*, Abingdon, v. 9, n. 12, p. 1.557-1.569, dez. 2014.

na prática de alguma atividade esportiva. Identificamos, logicamente, aqueles envolvidos na formação e no crescimento dos músculos, no aporte de energia, nos mecanismos inflamatórios ou anti-inflamatórios e nos processos imunológicos. Todos esses sítios são regulados pela prática esportiva e estão em conformidade com modelos idênticos em todos os voluntários testados. A equipe do professor Sundberg estudou também a musculatura de uma das pernas dos voluntários em um exercício de pedalagem intensiva. Dezenas de jovens, homens e mulheres pedalaram durante 45 minutos, quatro vezes por semana, durante três meses, sempre com a mesma perna. Os pesquisadores puderam medir a metilação epigenética do DNA dos músculos estimulados em relação à perna testemunha (a perna não estimulada de cada voluntário). Após essas experiências, pareceu evidente aos pesquisadores que as diferenças biológicas e químicas observadas na perna estimulada só poderiam ter sido induzidas pelo exercício físico.

Para os que não gostam muito de esportes, não canso de recomendar a caminhada. Esse exercício anódino produz efeitos extraordinários e ainda muito subestimados. Seu corpo, seu coração e seus músculos não são os únicos a aproveitarem esses benefícios. Pesquisadores da Universidade New Mexico Highlands (NMHU) constataram que o contato do pé com o solo a cada passo envia ondas de pressão através das artérias que modificam de maneira espetacular (em sincronia com os batimentos cardíacos) o fluxo de sangue para o cérebro, até mesmo o aumentando.[2] Ele também provoca um feedback epigenético, levando à produção de endorfinas, os hormônios do prazer. Os resultados dessas diversas pesquisas mostram que existe uma continuidade de efeitos hemodinâmicos (dependentes da circulação sanguínea) sobre o fluxo sanguíneo do cérebro humano na pedalagem, na caminhada e na corrida. É indiscutível que todas essas atividades aperfeiçoam a irrigação cerebral e a sensação geral de bem-estar durante o exercício.

ESPORTE, UM ANTIDEPRESSIVO NATURAL

É ainda mais espantoso que a atividade muscular prolongada influencie a neuroquímica cerebral e, provavelmente, também o comportamento. Ela provoca uma liberação de triptófano (um aminoácido essencial, precursor da serotonina – um neurormônio que age como um mensageiro químico) por intermédio dos músculos e do fígado. Como atravessa a barreira hematoencefálica que protege o cérebro, o triptófano favorece a síntese da serotonina, essencial à regulação do humor, da ansiedade, do sono e do apetite. O prazer propiciado pelo esporte (ou qualquer atividade de que de fato gostemos) favorece a produção de endorfinas

---

2. Sobre caminhada e cérebro, ver HOW walking benefits the brain. *Neurosciencenews.com*, 2017. Disponível em: <https://neurosciencenews.com/neurobiology-walking-6487/>. Acesso em: 9 abr. 2019.

(neuromediadores opiáceos sintetizados internamente e dotados de propriedades analgésicas e euforizantes), as endomorfinas, que agem como verdadeiras drogas internas. Ao *acordar* certos genes por meio da epigenética, o esporte (em particular a corrida) produz, assim, efeitos antidepressivos, fenômeno atribuído ao aumento da taxa de endorfinas no sangue.

Mas como praticar regularmente um esporte ou fazer exercícios sem complicar a vida? Como encontrar tempo? E qual seria o esporte mais adequado para sua personalidade e sua condição física? Todo mundo pode praticar jogging, bicicleta ou natação, contanto que adapte seu ritmo a sua idade. Para manter a forma, não adianta forçar. E, se você não tem tempo de ir à piscina ou à academia, nada o impede de se organizar em casa. Na internet é possível encontrar equipamentos relativamente baratos: aparelho de remo, bicicleta ergométrica... Você pode optar por uma bicicleta elíptica, um misto de bicicleta e aparelho de treino cárdio completo, muito simples de utilizar e pouco volumoso, que combina os benefícios do remo, do esqui e da bicicleta. Ou pelo transport, outro aparelho que combina exercícios aeróbicos.

Para verificar a eficácia desses aparelhos em sua saúde, é indispensável dedicar a eles um mínimo de tempo. Digamos de trinta a quarenta minutos por dia, de preferência pela manhã ou à noite. Se você pratica em casa, talvez tenha de se exercitar sozinho, sem um treinador e, claro, sem o ambiente estimulante da academia. Se um cara a cara consigo mesmo não o entusiasma, anime-se assistindo a vídeos ou escutando um audiolivro no smartphone (sites como Audible.com oferecem download de centenas de milhares de livros, jornais, revistas ou artigos das mais variadas áreas). Ou então treine com outras pessoas, entre em grupos de corrida, caminhada ou bicicleta.

A prática regular de esporte melhora não somente o bem-estar físico, mas também o emocional, a percepção de si e a qualidade de vida. Nos níveis biológico e físico, o esporte e o exercício regulares aumentam a vascularização. Em outras palavras, eles contribuem para a proliferação e para a densidade dos vasos e capilares que transportam sangue e oxigênio aos músculos e ao cérebro. Mesmo representando apenas 2% do peso do corpo, o cérebro é nosso órgão mais importante, e para funcionar bem ele precisa de uma quantidade grande de oxigênio (mais de 20% do oxigênio que respiramos).

SURFE, UM ESPORTE EXTREMO COM EFEITOS MUITO BENÉFICOS

Assim como os surfistas experientes adoram o desafio de ondas de 5 a 10 metros de altura, ou até mesmo maiores, os esquiadores de *freeride* gostam muito de se arriscar, deslizando por encostas e corredores de avalanche a 50 graus. Sou fã de surfe e de esqui, e não sou o único a afirmar que o surfe é um dos esportes mais benéficos que existem.

Eis o porquê: ele se resume a três fases principais. A primeira consiste em remar em direção ao fundo, deitado na prancha, para "ultrapassar a arrebentação" e chegar ao ponto do *take off* (a zona de partida, onde os surfistas perseguem a chegada das ondas). Ao longo dessa ação, os batimentos cardíacos podem chegar a 110 ou a 120 por minuto. A etapa seguinte se limita a esperar as séries de ondas em posição sentada ou de barriga para baixo sobre a prancha. Um momento de repouso para os surfistas, que aproveitam para contemplar a paisagem ou bater papo com os amigos. Durante essa fase, os batimentos cardíacos voltam praticamente ao normal. Na última fase, é preciso remar vigorosamente para pegar a onda, que se desloca em uma velocidade de 20 ou 30 quilômetros por hora. É o momento-chave: gasta-se toda a energia para tentar pegar a onda que surge para, enfim, poder surfá-la (é o "*drop*"). Dessa vez, os batimentos cardíacos podem atingir de 150 a 160 pulsações por minuto. Imagine o estresse, a subida da adrenalina, e, depois, durante o *drop* em si, o prazer intenso. Esse esporte, como muitos outros, favorece a secreção das endorfinas, da oxitocina e da dopamina, os hormônios do prazer.

A prática regular de esportes extremos "aciona" os genes relacionados à resistência, ao cansaço, ao metabolismo da energia ou à produção de endorfinas. O organismo reage a esses estímulos externos secretando a dose de adrenalina que permitirá ao surfista superar seu medo. Uma reação do corpo que provoca também uma forma de vício. As propriedades particulares de certos esportes levaram os pesquisadores a avaliar o risco de dependência dessa morfina natural em alguns esportistas. O vício no esporte se chama bigorexia. Ela foi estudada pelo doutor William Glasser em 1976.[3]

Para mim, o surfe é uma experiência absoluta. Uma atividade completa que requer processos musculares e mentais, eles mesmos passíveis de desencadear efeitos epigenéticos. Cada novo desafio (ou perigo, segundo o ponto de vista de alguns) traz sua dose de excitação.

ADMINISTRAÇÃO DO ESTRESSE, MEDITAÇÃO, IOGA E EPIGENÉTICA

Vimos que o esporte pode desencadear e amplificar os efeitos epigenéticos. Atividades mais calmas, como alguns exercícios de relaxamento praticados cotidianamente, podem também influenciar no funcionamento dos nossos genes e ter repercussões cruciais no nosso corpo como um todo.

Muito antes que a ciência provasse a relação entre a mente e o corpo, a medicina chinesa, conhecida por sua abordagem preventiva, já pesquisava a influência do cérebro no corpo e vice-versa. Esses pioneiros da

---

3. GLASSER, William. Positive addiction. *Journal of Extension*, West Lafayette, p. 4-8, maio/jun. 1977.

medicina psicossomática (ou psiconeuroimunologia) estavam, de fato, convencidos de que nossos comportamentos poderiam explicar o surgimento de doenças ou disfunções do metabolismo. Os resultados das pesquisas em epigenética estão dando razão a eles. Hoje, no mundo todo, os neurocientistas destacam, enfim, a influência recíproca entre mente e corpo.

As práticas ancestrais da meditação, a ioga, algumas formas de meditação dinâmica (como tai chi chuan ou Qi Gong), sobretudo, podem ter consequências sobre o metabolismo do nosso corpo e sobre certas funções fundamentais, contribuindo, por exemplo, para diminuir a hipertensão ou o risco de doenças cardiovasculares. O monge budista francês Matthieu Ricard e o neurobiólogo Wolf Singer fizeram disso o assunto de seu livro *Cérebro e meditação*.[4]

O pensamento ocidental, assim como a área médica tradicional, dissociaram durante muito tempo a mente do corpo. Pela primeira vez, em dezembro de 2013, uma descoberta determinante atribuída a pesquisadores de universidades do Wisconsin, da Espanha e da França mostrou uma mudança molecular específica no nível genético sob efeito da meditação.[5] O estudo comparava

---

4. RICARD, Matthieu; SINGER, Wolf. *Cérebro e meditação:* diálogos entre o budismo e a neurociência. Tradução de Fernando Santos. São Paulo: Alaúde, 2018.

5. KALIMAN, Perla et al. Rapid changes in histone deacetylases and inflammatory gene expression in expert meditators. *Psychoneuroendocrinology*, Amsterdã, v. 40, p. 96-107, fev. 2014.

o resultado de dois grupos: um composto por meditadores experientes e outro (o grupo testemunha) formado por sujeitos de controle não formados, que praticavam atividades calmas, relaxantes, mas não meditativas. Todos os participantes também foram submetidos a um teste de estresse social. Eles deveriam proferir um discurso improvisado e executar tarefas exigindo cálculos mentais diante de um público numeroso, ao mesmo tempo que eram distraídos pela filmagem de um vídeo ou atrapalhados pelo som de um debate televisivo. Em tais circunstâncias, qualquer um de nós se sentiria nervoso ou até mesmo perderia o controle.

No fim do dia, os pesquisadores constataram que várias centenas de genes haviam sido modificadas (em dezenas de milhares de genes analisados), e o grupo de meditadores e o grupo testemunha apresentaram resultados bastante diferentes. No grupo de praticantes de meditação, observou-se uma regulação negativa de genes envolvidos na inflamação, assim como vários genes de histona deacetilase (HDAC), que regulam a atividade de outros genes por meio de mecanismos epigenéticos. Os pesquisadores também repararam que alguns desses genes, regulados para baixo por influência do estresse, obtinham uma recuperação mais rápida dos efeitos do cortisol (que permite liberar energia a partir das reservas de açúcar armazenadas no organismo).

Assim como o esporte, a meditação e o relaxamento têm um impacto na expressão e na inibição de alguns genes. A experiência citada mostra seus efeitos positivos na redução da pressão arterial, na frequência cardíaca, nos índices de colesterol e nos hormônios do estresse.

UMA PONTE ENTRE O ORIENTE E O OCIDENTE?

As práticas do Oriente e as do Ocidente se unem, enfim, graças à epigenética da meditação e da ioga.

As mudanças observadas pelos pesquisadores sob o efeito da meditação ocorreram em genes visados por medicamentos anti-inflamatórios e analgésicos bastante utilizados hoje. E é digno de nota que a Associação Americana do Coração (American Heart Association) reconheça a meditação como um meio de lutar contra os riscos de doenças cardiovasculares.[6]

Mais espantoso ainda é outro estudo que mostrou que a meditação se revelou mais eficaz que a morfina na redução da percepção da dor pela zona somatossensorial do cérebro.[7] Essas observações apontam que a meditação possui todas as propriedades requeridas para ser objeto de usos clínicos, como em tratamentos contra

---

6. AMERICAN HEART ASSOCIATION. *Meditation and heart health*. Dallas, 2017.

7. COLLINS, Lois M. Better than morphine?. *Deseret News*, Salt Lake City, 7 abr. 2011. Disponível em: <https://www.deseretnews.com/article/700125211/Better-than-morphine-Even-amateurs-learn-to-meditate-pain-away-says-Wake-Forest-brain-research.html>. Acesso em: 9 abr. 2019.

a dor, para limitar o recurso a medicamentos. Além disso, um treinamento limitado é suficiente para produzir efeitos espetaculares, como a atenuação da dor.

A MEDITAÇÃO DINÂMICA COM O TAI CHI CHUAN E O QI GONG

Entre os tipos de meditação dinâmica, o tai chi é uma arte marcial "soft", considerado uma forma de medicina suave, de trabalho sobre a energia ("chi" ou "qi"). Consiste em realizar movimentos das artes marciais que podem ser sincronizados em grupos. O Qi Gong não é uma arte marcial, mas um método ancestral de ginástica chinesa. O "grande encadeamento" do tai chi chuan compreende mais de 100 movimentos essenciais voltados para melhorar a relação entre o corpo e a mente, aumentar o bem-estar ou ajudar a recuperar as forças após uma doença. Essa prática é constituída por posturas ou séries de movimentos realizados lentamente, sem deslocar. O relaxamento do corpo e a regulação da respiração possibilitam atingir um nível elevado de concentração e, ao mesmo tempo, de relaxamento.

O tai chi utiliza movimentos energéticos baseados em alongamentos, batidas com os pés, impulsos, posturas de defesa e de proteção do corpo, imitando a resistência a um ataque. Todos os gestos e posturas têm um efeito relaxante e apresentam a particularidade de reconciliar o corpo e a mente, ao mesmo tempo que estimulam os mecanismos epigenéticos. É comum assistir a esses harmoniosos balés com coreografia complexa nos parques da China, onde essa arte é extremamente popular.

Meditando de forma simples

A prática da meditação é bem mais simples do que a maioria das pessoas imagina. Não pretendo iniciá-lo na meditação transcendental, que necessita de uma abordagem e de um ambiente mais complexos, mas posso explicar alguns métodos que permitem meditar de vinte a trinta minutos todos os dias. Alguns minutos de prática antes de uma reunião importante podem ser bastante benéficos. É o tipo de meditação simplificada ao qual me dedico há quarenta anos.

Com o praticante sentado ou deitado, mas sem se posicionar de maneira que possa adormecer, com os olhos fechados, o ritual começa com algumas sequências de vários minutos cada. Utilizo uma sucessão de períodos, suscetíveis de se sobreporem no tempo.

A primeira sequência é uma série de respirações inspiradas na ioga: uma inspiração lenta, primeiro usando a barriga, então uma pausa com a barriga cheia de ar por cinco segundos, seguida uma expansão/inspiração dos pulmões, e depois de uma pausa de cinco segundos com os pulmões cheios. Por fim, expiração lenta por oito segundos.

Você pode repetir esse ciclo por quatro a seis minutos. Ao longo do ciclo, repita regular e interiormente o seu mantra (uma palavra de quatro sílabas que você manterá em segredo: não deve transmiti-la a ninguém).

Ao longo da segunda fase, fixe o infinito no escuro, com os olhos fechados (a Via Láctea, as galáxias, os confins do universo...), depois a base do nariz entre os olhos (ainda fechados) e novamente o infinito. Execute esses movimentos durante três a cinco minutos, mantendo a respiração e a repetição do mantra.

Entre em seguida na fase chamada de "auréola dinâmica": imagine uma espécie de auréola em torno da sua cabeça, que desce progressivamente por seu rosto, depois por seu corpo, até os pés, e em seguida subindo de volta, dos pés à cabeça.

A cada etapa, sempre respirando profundamente e pronunciando seu mantra, lembre-se de relaxar os músculos atravessados pela auréola: os do rosto, do pescoço, do torso, do baixo-ventre, das coxas, das pernas e dos pés.

Após uma dezena de idas e vindas dessa auréola dinâmica, passe para a última etapa, que pode durar uns dez minutos. Nela, você deve pensar em um objeto muito simples (uma pedrinha, uma folha...), e depois apagá-lo de sua mente para pensar somente no vazio deixado por essa ausência. Ao mesmo tempo, você pode divagar, sem uma concentração particular, sobre temas ou acontecimentos que suscitem empatia, ou mesmo o amor ou a solicitude, em relação a grupos de pessoas que você deseja ajudar, ou então pode evocar as novidades positivas do mundo de hoje ou do que está por vir. Matthieu Ricard insiste muito neste aspecto da meditação: é importante suscitar a alegria e a paz em sua mente, pensando no que pode ser positivo no mundo e construtivo para criar o futuro.

Após esses vinte minutos de meditação, você voltará ao mundo preenchido de doçura e calma, a fim de conservar os efeitos produzidos no seu cérebro pelos mecanismos da epigenética.

OS EFEITOS EPIGENÉTICOS DOS HORMÔNIOS DO PRAZER

"A variedade é a fonte de todos os nossos prazeres, e o prazer deixa de sê-lo quando se torna hábito." Essa elegante citação atribuída ao poeta Évariste de Parny (1753-1814) lembra o quanto é vital suscitarmos e mantermos o prazer sob todas as suas formas: relações de amizade, sexualidade, gastronomia, viagens, atividades culturais, atividades profissionais etc.

Os hormônios do prazer produzidos pelo organismo são bem conhecidos dos cientistas. São quatro: as endorfinas, a dopamina, a serotonina e a oxitocina. Eles agem em sinergia, influenciando a secreção de outros hormônios e retardando a produção de cortisol ou de adrenalina ligada ao estresse. Secretados em reação a situações particulares, esses hormônios possibilitam a ativação de emoções "positivas". E é possível estimular cotidianamente sua produção ao adotar determinados comportamentos ou atitudes.

A endorfina é o hormônio dos esportistas. Promove um sentimento de calma, ou até mesmo euforia, e tende a reduzir o estresse. É descrita como um hormônio antiestresse e antidor em razão de seus efeitos analgésicos. Vimos que a prática de esportes é uma boa maneira de produzi-la. Mas, se você não gosta muito de esportes, acostume-se a rir sempre que possível. A endorfina pode ser facilmente liberada pelo cérebro quando se dá uma gargalhada.

A dopamina é secretada em resposta a situações agradáveis – como quando degustamos um prato que apreciamos ou ganhamos um prêmio, dinheiro ou uma competição. Ela cria um sentimento de prazer e estimula a vontade de aceitar desafios, de experimentar. É ela que ativa as zonas do cérebro ligadas ao sistema de recompensa. Conhecemos também seu papel no vício em drogas. Quando "hiperproduzimos" dopamina ao recorrermos a drogas, o corpo retarda sua produção interna regular. É assim que os dependentes ficam em estado de abstinência.

A serotonina é o regulador do humor. É importante para o tratamento de estados depressivos. Graças a ela, ficamos otimistas e serenos. Se estivermos com uma carência desse hormônio, ficaremos logo irritáveis ou então totalmente deprimidos. Praticar exercícios e se entregar à preguiça debaixo do Sol – as duas atividades não são incompatíveis! – ajuda o organismo a produzir serotonina. Cada um escolhe seu método, de acordo com seu temperamento...

A oxitocina, enfim, tem um papel central na convivência e nas relações sociais. Secretado durante as carícias, o contato amoroso, as relações sexuais, a exposição ao Sol, a troca de presentes, uma salva de palmas após uma intervenção pública ou a entrega de um prêmio, esse hormônio dito "social" talvez seja o mais conhecido. Ele reforça o sentimento de confiança em si mesmo e nos outros. Favorece a generosidade e os comportamentos altruístas ou cooperativos.

ESTAR EM HARMONIA COM A REDE FAMILIAR, PROFISSIONAL E SOCIAL

Estar em harmonia e equilíbrio com a rede familiar, social e profissional tem efeitos epigenéticos que podem levar à produção de oxitocina e dopamina. Nos seres humanos, a qualidade da relação entre pais e filhos, especialmente o grau de empatia dos pais e suas respostas às necessidades emocionais de seus filhos, pode determinar anos mais tarde a influência do sistema parassimpático (que modera as funções neurológicas inconscientes do organismo), fazendo com que nos sintamos calmos, satisfeitos, felizes. Esse sistema também favorece a coerência do ritmo cardíaco e permite uma resistência maior ao estresse e à depressão.

As relações harmoniosas e a prática da comunicação não violenta (comunicar-se com o outro sem prejudicá-lo) ampliam os efeitos epigenéticos. Para o professor Marshall Rosenberg, inventor das bases da comunicação não violenta (CNV), uma das principais fontes do sentido positivo da vida é contribuir com o bem-estar e a felicidade daqueles que nos cercam.[8] Segundo esse princípio, a CNV possibilita a todos se aprofundar em seus sentimentos para se comunicar melhor, deixando a benevolência se exprimir. O objetivo é estar em harmonia com as relações. Trata-se de transformar os potenciais conflitos em diálogos pacíficos e de desarmar as disputas.

Rosenberg propõe a utilização da CNV para manter-se em harmonia com as relações familiares. Seu método também é recomendado em escolas, empresas e instituições, no contexto de terapias de grupo ou de relações de conselho, assim como nas relações diplomáticas e negociações. De maneira geral, ele é usado para administrar conflitos.

---

8. MAILLARD, Catherine. La communication non violente, mode d'emploi. *Psychologies*, Paris, out. 2011. Disponível em: <https://www.psychologies.com/Therapies/Toutes-les-therapies/Psychotherapies/Articles-et-Dossiers/La-Communication-non-violente-mode-d-emploi/4Indications-et-contre-indications>. Acesso em: 9 abr. 2019. Ver também a entrevista de Marshall Rosenberg: TORRES, Stephanie. Tout conflit peut se transformer en un dialogue paisible. *Psychologies*, Paris, mar. 2015. Disponível em: <https://www.psychologies.com/Moi/Moi-et-les-autres/Relationnel/Articles-et-Dossiers/Tout-conflit-peut-se-transformer-en-un-dialogue-paisible>. Acesso em: 9 abr. 2019.

No entanto, mesmo nas relações harmoniosas e equilibradas, pode haver crises imprevistas. O professor John Gottman demonstrou que não existem casais felizes nem relações afetivas duráveis sem conflitos crônicos.[9]

Suas pesquisas chegam a sugerir que casais que nunca brigam devem se preocupar! A ausência de conflito pode ser sinal de um fosso emocional, passível de inibir qualquer relação verdadeira e profunda.

AMOR E EPIGENÉTICA: A OXITOCINA E A BIOQUÍMICA DO AMOR

O amor também é (embora não seja só isso) um fenômeno epigenético. Os comportamentos sociais, os laços emocionais e as relações de longa data são fluidas e adaptáveis, como acabamos de ver, assim como a biologia sobre a qual esses comportamentos estão baseados. Assim, sabemos que os hábitos alimentares, a atividade física, a poluição, o estresse, as preocupações, nossas relações sociais ou familiares e os acontecimentos felizes ou infelizes suscetíveis de influenciar nossa trajetória de vida e nosso estado de espírito desempenham um papel importante na modulação epigenética da expressão dos genes. Consequentemente, estar cercado de amigos sinceros ou viver uma relação amorosa estável só pode ter efeitos benéficos à saúde.

---

9. BEAULIEU, Denyse; GOTTMAN, John; SILVER, Nan. *Les couples heureux ont leurs secrets* [Casais felizes têm seus segredos]. Paris: Pocket, 2006.

Segundo um estudo realizado pela equipe do professor Michael Meaney, da Universidade McGill de Montréal (Canadá), simples carícias teriam o poder de influenciar os genes.[10] Os pesquisadores demonstraram que, no caso do rato (o que também é revelador para todas as espécies, inclusive a nossa), as lambidas da mãe em seus bebês (o equivalente da carícia no ser humano) tornavam os filhotes mais calmos e, além disso, influenciavam a atividade de um gene antiestresse chamado NRC31. A análise do cérebro de ratos bebês que não receberam afeto por meio de lambidas revelou que o interruptor ligado ao gene NRC31 permanecia inativo nos neurônios do hipocampo (a zona do cérebro que gera o estresse ambiental). Os ratos carentes apresentaram uma quantidade maior de hormônios do estresse no sangue. Mesmo na ausência de elementos perturbadores, eles viviam em um estado de estresse permanente.

Nossa vida raramente é como um longo rio tranquilo. Todos nós passamos por momentos de alegria e de tristeza. A doença, o luto, as provações pessoais

---

10. A MOTHER touch can trigger genes that shape stress response. *Mendability.com*, 2015. Disponível em: <https://www.mendability.com/articles/a-mothers-touch-can-trigger-genes-that-shape-stress-response/>. Acesso em: 9 abr. 2019.
MEANEY, Michael et al. Frequency of Infant Stroking Reported by Mothers Moderates the Effect of Prenatal Depression on Infant Behavioural and Physiological Outcomes. PLoS ONE, São Francisco, v. 7, n. 10, 16 out. 2012. Disponível em: <https://journals.plos.org/plosone/article?id=10.1371/journal.pone.0045446>. Acesso em: 9 abr. 2019.

ou profissionais, as frustrações e contrariedades e as crenças são indissociáveis da nossa história, assim como os momentos de felicidade. Para nosso equilíbrio mental e fisiológico, devemos tentar nos proteger o máximo possível de tudo o que pode ter um impacto negativo na expressão de nossos genes. Você entendeu: o que vivemos influencia nosso estado psíquico e físico. Por exemplo, se nossos pais nos inculcaram que o mundo é perigoso, estamos mais inclinados a viver com medo ou a desconfiar de nossos semelhantes, o que pode prejudicar nossas relações sociais e provocar uma deficiência em nossa capacidade de correr riscos.

Para além dos genes de nossos pais, herdamos também a história familiar, com sua cultura, sua memória, suas dores, suas lembranças e suas emoções. É assim que alguns herdam traumas, ou mesmo desespero, ligados à família. Como escapar desse ecossistema, que impregna cada um de nós desde o nascimento? Atitudes e comportamentos diferentes podem ajudar. A meditação faz parte disso, como vimos, mas também a atenção para com os outros, a benevolência, o perdão, a amizade e o amor. Os comportamentos abertos e generosos em relação aos outros têm efeitos benéficos tanto para aqueles que se beneficiam deles como para aqueles que os promovem. Não há fatalidade: herdamos nosso genoma, mas temos liberdade de agir sobre nosso *epigenoma*.

Pesquisas recentes indicam que a interdependência entre a expressão de alguns de nossos genes e a regulação de nossas emoções é constante. Dois livros são dedicados a essas interações: o do doutor Bruce H. Lipton, *A biologia da crença*, e o de Dawson Church, *The genie in your genes* [O gênio em seus genes].[11] Dawson Church descreve a maneira como nosso estado mental influencia nossos genes e, consequentemente, nosso estado de saúde. Ele demonstra que as crenças, as intenções, a meditação, o altruísmo, o otimismo e outros atributos da felicidade têm efeito sobre os genes do estresse envolvidos sobretudo nos processos de envelhecimento e imunidade.

Se mudar as práticas alimentares e as relações pode alterar o funcionamento dos genes que herdamos no nascimento, é possível criar um círculo virtuoso. Ao modificarmos nosso estado emocional e procurarmos nos sentir mais felizes, "acionamos" os genes que permitem promover uma saúde melhor e retardar o envelhecimento. Church mostra, assim, como essas práticas emocionais podem acrescentar anos de boa saúde à nossa vida.

E elas também podem modificar a evolução das sociedades humanas. Em seu notável livro *Os anjos bons*

---

11. LIPTON, Bruce. *A biologia da crença*. Tradução de Yma Vick. São Paulo: Butterfly Editora, 2007.
CHURCH, Dawson. *The genie in your genes*. Fulton: Energy Psychology Press, 2014.

da nossa natureza,[12] que traz um olhar extremamente positivo sobre o futuro, o canadense Steven Pinker, professor de psicologia em Harvard, demonstra, com o apoio de estatística e de pesquisas sociológicas, que a benevolência humana, aliada a uma abordagem construtiva diante dos problemas impostos pela violência e pelos conflitos, tem uma influência considerável na evolução das nossas sociedades, nos planos econômico, industrial e político.

A POLUIÇÃO, O GRANDE FLAGELO DA MODERNIDADE

Acabamos de ver que nossos comportamentos desempenham um papel decisivo no processo epigenético, influenciando nosso estado de saúde. Nossa saúde e nossa qualidade de vida dependem também do nosso ambiente (sobretudo da pureza do ar, da água e do solo). Os cientistas concordam em ao menos um ponto: a atividade humana (indústria, agricultura, transportes, aquecimento etc.) é a principal causa da poluição. Não importa em qual meio elas evoluam: todas as populações são, em graus diferentes, submetidas a uma poluição perigosa.

Você certamente ouviu falar dos riscos ligados a substâncias químicas presentes em produtos agrícolas

---

12. PINKER, Steven. *Os anjos bons da nossa natureza*: por que a violência diminuiu. Tradução de Bernardo Joffly e Laura Teixeira Motta. São Paulo: Companhia das Letras, 2017.

(fertilizantes, pesticidas, herbicidas, antifúngicos etc.), tintas (formaldeído ou metanal) e colorantes (chumbo), partículas finas (dióxido de carbono, óxido nítrico, dióxido de enxofre) e até mesmo suplementos alimentares e certos medicamentos. Sem colocar em dúvida a legitimidade dos tratamentos farmacêuticos, abordarei mais adiante a espinhosa e recente questão da toxicidade epigenética de alguns deles.

Em seu relatório de setembro de 2016, a Organização Mundial da Saúde (OMS) estimava em 3 milhões o número de mortes prematuras no mundo causadas pela poluição ambiental (do ar) nas zonas urbanas e rurais.[13] Essa mortalidade se deve principalmente à exposição a partículas de diâmetro inferior a 10 mícrons, que provocam doenças cardiovasculares e respiratórias, bem como câncer. Assim, 72% das mortes prematuras provocadas por esse tipo de poluição são decorrentes de cardiopatias isquêmicas e de acidentes vasculares cerebrais; 14%, de broncopneumopatias crônicas obstrutivas ou de infecções agudas das vias respiratórias inferiores; e 14%, de câncer de pulmão.

"A maior parte das fontes de poluição do ar", escreve a OMS, "escapa totalmente do controle dos indivíduos e exige que as cidades, assim como os poderes nacionais e internacionais, tomem medidas em setores como transportes, gestão do lixo, moradia e agricultura.

---

13. ORGANIZAÇÃO MUNDIAL DA SAÚDE. *Qualidade do ar e saúde*. Genebra, 2016.

[...] Mais de 34 mil mortes seriam evitadas por ano se o conjunto dos municípios da França continental conseguisse atingir o nível de partículas finas dos 5% dos municípios equivalentes (em tamanho da população) menos poluídos. [...] O impacto na saúde é resultado, em longo prazo, sobretudo da exposição diária a níveis de poluição inferiores aos limites de alerta disparados a partir de uma concentração de 80 microgramas de PM10 (partículas de diâmetro inferior a 10 mícrons) por metro cúbico de ar."

É mais do que urgente frear esse flagelo dos tempos modernos, suspeito de contribuir direta ou indiretamente com a morte de mais de 48 mil pessoas todos os anos, e isso somente na França, ou seja, 9% da mortalidade nacional.[14] Isso significa (em média) quinze meses a menos de expectativa de vida para os habitantes das grandes cidades e nove meses a menos para os que vivem na zona rural. O escândalo do "Dieselgate" – a propósito das técnicas usadas pela indústria automobilística para reduzir fraudulentamente as emissões poluentes de seus veículos – revelou que a morte de 5 mil pessoas por ano na Europa seria imputável ao diesel. É desolador que a poluição não seja objeto de um pacto mundial que mobilize as autoridades e a opinião pública do planeta inteiro com a mesma importância da alteração climática.

---

14. Estudo publicado pela agência Santé publique France.

TOXICIDADE E EPIGENÉTICA: OS PERIGOS DAS "EPIMUTAÇÕES"

Vista através do prisma da epigenética, a maneira como a toxicidade é avaliada atualmente é objeto de questionamento. Na pesquisa e na utilização de medicamentos, assim como no caso de produtos associados à nutrição e ao ambiente, os cientistas recorrem a velhos métodos para medir a toxicidade dos produtos em camundongos. Eles sempre usam um teste chamado "DL50", que consiste em verificar se a substância ingerida ou inalada mata mais de 50% dos camundongos. Acima desse nível crítico, um produto é considerado "tóxico" e proibido para utilização (ou retirado do mercado). Abaixo desse nível, sua comercialização é autorizada.

Mesmo que certos produtos químicos sejam objeto de testes de mutagênese (a capacidade de induzir mutações do DNA passíveis de provocar câncer), os pesquisadores subestimam os frequentes riscos de efeitos epigenéticos de medicamentos e drogas. Em compensação, esses impactos só foram demonstrados recentemente. Certo número de medicamentos conhecidos de fato interage com a histona deacetilase (HDAC), aquele fator de regulação epigenética que suprime o marcador acetil dos genes. É o caso de drogas como a cocaína e os opiáceos, mas também do ácido valproico, medicamento prescrito para tratar diversas patologias neurológicas.

Você deve conhecer esse medicamento após a eclosão do escândalo do Depakene. Esse antiepilético, conhecido também pelo nome "valproato de sódio", foi considerado inofensivo pelo laboratório farmacêutico que o fabrica e comercializa. Ora, ele também é um inibidor de enzimas deacetilases, essenciais nos mecanismos epigenéticos. Para sermos mais claros, esse preparado farmacêutico impede a regulação da expressão dos genes, sobretudo dos genes codificadores essenciais à sobrevivência celular. O uso desse excelente "anticonvulsionante" teria de ser, então, proibido às mulheres grávidas. Infelizmente, até 2015, o universo médico não fazia ideia de que ele era *epitóxico*.

Entre 1950 e 1977, outro medicamento, o Destilbenol (dietilestilbestrol, DES), cuja periculosidade para a saúde está hoje comprovada, foi prescrito a centenas de milhares de mulheres para evitar abortos espontâneos. Ele originou epimutações (mudanças devidas à epigenética) em várias gerações. Decretadas não tóxicas em uma época na qual a epigênese ainda era desconhecida, essas substâncias químicas ou farmacêuticas homologadas, e portanto ingeridas com toda a confiança por futuras mães, provocaram malformações ou patologias crônicas graves em bebês.

Pesquisas publicadas recentemente confirmam os efeitos secundários epigenéticos duráveis de medicamentos, até mesmo após o fim do tratamento.[15] Alguns deles são suspeitos de estar envolvidos no

---

15. CSOKA, Antonei Benjamin; SZYF, Moshe. Epigenetic side-effects of common pharmaceuticals: a potential new field in medicine

desenvolvimento de doenças cardiovasculares, câncer, distúrbios neurológicos e cognitivos, obesidade, diabetes, infertilidade e disfunção sexual. Os antidepressivos como Prozac levam a uma elevação crônica das taxas de serotonina no cérebro, o que pode provocar, em longo prazo, alterações epigenéticas, evidenciadas em inúmeras patologias (diabetes, obesidade, atraso mental, câncer, Alzheimer, Parkinson etc.).

OS PERIGOS EPIGENÉTICOS DOS HERBICIDAS E DOS METAIS PESADOS

Como o nome indica, a *ecotoxicidade* designa o efeito nefasto de uma substância química nos organismos vivos e em seu ecossistema. Por exemplo, a poluição do ar, da água ou do solo e, os produtos químicos e farmacêuticos, que possuem efeitos negativos nos organismos vivos, são ecotóxicos. É essencial conhecermos seus impactos, pois a ecotoxicidade pode provocar a desaparição de algumas espécies.

Segundo o mesmo princípio, a epitoxicidade visa avaliar as interações surgidas entre produtos tóxicos e a expressão dos genes. O exemplo do glifosato, presente no herbicida Roundup, da multinacional Monsanto, é um estudo de caso tão interessante quanto dramático. Acusado de envenenar vegetais, animais (entre os quais as abelhas) e humanos, ele é suspeito também

---

and pharmacology. *Medical Hypotheses*, Amsterdã, v. 73, n. 5, p. 770-780, nov. 2009.

de provocar câncer e graves malformações em recém-nascidos (humanos e animais). Quando a epitoxicidade permitir provar cientificamente as epimutações provocadas por todos esses poluentes em alguns genes vitais, as associações ambientais e os especialistas sem dúvida conseguirão obter sua proibição.

Os metais pesados presentes no ambiente ou associados a vacinas, sob a forma de coadjuvantes, apresentam também riscos de epimutações.[16] Ao estimular o sistema imunológico do organismo, ou seja, sua capacidade de se defender de uma infecção ou doença, os coadjuvantes desempenham um papel essencial nas vacinas, mas também são objeto de inúmeras críticas. Se o fosfato de cálcio é um produto antigo muito difundido, mas inofensivo, novas substâncias como o tiol do mercúrio, o tiomersal ou timerosal, o hidróxido de alumínio e o esqualeno são consideradas perigosas. Os coadjuvantes são também usados na agricultura ou para reforçar a ação de produtos fitossanitários. São encontrados, além disso, no concreto (para acelerar ou retardar o tempo de pega), em vernizes, pinturas, tinturas para tecido, plásticos e borrachas, combustíveis etc. Presentes em muitos produtos, todas essas substâncias são suspeitas de produzir efeitos epigenéticos significativos.

---

16. BOMMARITO, Paige A.; MARTIN, Elizabeth; FRY, Rebecca C. Effects of prenatal exposure to endocrine disruptors and toxic metals on the fetal epigenome. *Epigenomics*, Londres, v. 9, n. 3, p. 333-350, mar. 2017.

PERTURBADORES ENDÓCRINOS: UMA QUESTÃO MUNDIAL DE SAÚDE PÚBLICA

A OMS designa o perturbador endócrino como "uma substância ou mistura exógena que possui propriedades que possam conduzir a uma perturbação endócrina em um organismo intacto ou em sua descendência". Descobertos recentemente, mas onipresentes em nosso dia a dia, os perturbadores endócrinos são suspeitos de levar a epimutações. Utilizados como antioxidantes em alimentos gordurosos, estão presentes em produtos fitofarmacêuticos (pesticidas) e produtos biocidas (desinfetantes domésticos, inseticidas, diversos produtos contra pragas etc.). São encontrados também em cosméticos, tintas, móveis, roupas, embalagens de alimentos, papel, brinquedos de plástico e alimentos (margarina, cereais, carnes, sopas, conservas, alimentos desidratados etc.).

Entre eles, há os bisfenois, dos quais você já deve ter ouvido falar. São plastificantes químicos que servem para flexibilizar os plásticos, como o policarbonato. Também já deve ter ouvido a respeito do bisfenol A (BPA), presente em inúmeros produtos de uso cotidiano (mamadeiras, garrafas de água mineral, comida pronta etc.). Ele foi proibido na França em 2015. No entanto, mesmo que tenha desaparecido das mamadeiras, ainda é encontrado, em doses bem pequenas, apesar de sua proibição, em latas de refrigerante, junto com seus substitutos, o bisfenol S e o D, ainda permitidos.

Outros plastificantes, como os ftalatos, e também as bisfenilas policloradas (PCB), são comumente utilizados em transformadores elétricos ou como fluidos transmissores de calor. Também figura nessa categoria toda a gama de pesticidas utilizados na agricultura ou em casa para exterminar ervas daninhas ou pragas. E a lista se torna interminável quando acrescentamos os aditivos alimentares, como o hidroxianisol butilado (BHA) ou o hidroxitolueno butilado (BHT).

Os perturbadores endócrinos se parecem tanto com o estrogênio que o organismo tende a confundi-los com os hormônios secretados pelas glândulas endócrinas. Enganando, de certa forma, o corpo, essas substâncias químicas desequilibram o sistema hormonal e a ação dos órgãos que regulam os comportamentos biológicos e o metabolismo (crescimento, puberdade, temperatura corpórea, saciedade, libido...). Elas bloqueiam a ação natural de alguns órgãos (tireoide, glândulas suprarrenais, pâncreas, órgãos reprodutores), e seus efeitos variam conforme a idade, o sexo, o perfil genético e a frequência de absorção. Sabemos também que os perturbadores endócrinos podem ter impactos no desenvolvimento dos fetos e que são particularmente nocivos para mulheres grávidas e crianças com menos de 3 anos.

Apesar dos esforços dos grandes lobbies farmacêutico e agroalimentar para barrar a adoção de uma regulamentação mais rígida, diversos estudos científicos confirmaram a periculosidade dessas substâncias nos últimos anos. Os pesquisadores constataram também um aumento do número de cânceres hormonodependentes (câncer de mama e próstata), de casos de puberdade precoce em meninas e de malformações genitais nos meninos, assim como de diabetes tipo 2, obesidade e autismo.

É importante notar que o triclosan e o triclocarban, dois antibacterianos (biocidas) utilizados como agentes conservadores em inúmeros produtos cosméticos e de consumo frequente, foram alvo, em junho de 2017, de uma petição assinada por 200 pesquisadores e profissionais da saúde de 29 países.[17] Segundo esses pesquisadores e as experiências realizadas com animais, tais substâncias são cancerígenas e poderiam provocar uma redução da força muscular nos seres humanos. Elas poderiam também perturbar o ritmo cardíaco, provocar alergias e reduzir a ação dos antibióticos. Os cientistas pedem medidas de interdição e uma avaliação precisa do seu impacto em longo prazo na saúde e no meio ambiente.

Por todas essas razões, os perturbadores endócrinos se tornaram uma questão de proteção da saúde pública em todo o mundo.

---

17. HALDEN, Rolf U. et al. The Florence statement on Triclosan and Triclocarban. *Environmental Health Perspectives*, Durham, v. 125, n. 6, 20 jun. 2017. Disponível em: <https://ehp.niehs.nih.gov/ehp1788/>. Acesso em: 9 abr. 2019.

TABACO, ÁLCOOL: TOXICIDADE EPIGENÉTICA GARANTIDA

Boa notícia para os *bon vivants* ou para os "bem vivos": o consumo razoável de álcool (uma a duas taças de vinho por dia) colabora para o retardamento do envelhecimento. Por outro lado, um consumo superior produz o efeito contrário, contribuindo para acelerá-lo.

No contexto de um grande estudo sobre os efeitos epigenéticos do tabaco e do álcool, o professor Robert Philibert,[18] da Universidade de Iowa, determinou muito precisamente a partir de quantos cigarros ocorria uma modificação da expressão de certos genes do DNA (sendo que os fumantes têm uma tendência a subestimar seu consumo). Sua equipe conseguiu calcular a diferença entre a idade biológica dos fumantes e sua idade cronológica, e assim pôde provar a relação entre o consumo de tabaco e álcool e o envelhecimento prematuro.

Nós suspeitávamos disso há tempos: o alcoolismo e o tabagismo levam a uma toxicidade epigenética. Porém, pela primeira vez, essa intuição foi cientificamente provada. Os resultados demonstram objetivamente, ao serem estudadas as modificações epigenéticas, quais poderão ser os impactos na saúde futura dos jovens fumantes ou consumidores de álcool.

---

18. SMOKING, heavy alcohol use are associated with epigenetic signs of aging. *ScienceDaily.com*, 2015. Disponível em: <https://www.sciencedaily.com/releases/2015/10/151008173505.htm>. Acesso em: 9 abr. 2019.

Em janeiro de 2017, uma equipe da Universidade McGill (Canadá) confirmou que o consumo de álcool e de tabaco poderia criar uma mutação epigenética em uma das histonas, batizada de H3.[19] Demonstrou-se que a relação entre álcool, tabaco e câncer de garganta era devida a uma modificação epigenética das histonas, na ausência de modificação do próprio código genético. Todos esses resultados vão permitir às organizações de saúde e aos médicos evitarem que os jovens voluntários tenham problemas de saúde previsíveis em uma idade mais avançada. É uma ferramenta eficaz para reduzir despesas de saúde e melhorar a qualidade de vida, mas somente se o máximo de pessoas tomar consciência disso. Ora, o homem nem sempre é tão racional quanto acredita ser. Esperemos que a maioria seja capaz de tomar hoje uma decisão cujos benefícios serão verificáveis somente em longo prazo.

---

19. MONTGOMERY, Marc. Canadian research leads to new discovery in head and neck cancers. *RCInet.ca*, 2017. Disponível em: <http://www.rcinet.ca/en/2017/01/16/canadian-research-leads-to-new-discovery-in-head-and-neck-cancers/>. Acesso em: 9 abr. 2019.

CAPÍTULO 5

Lamarck e Darwin, a reconciliação

A ciência possibilitou que superássemos o debate entre o que é inato e o que é adquirido (e suas implicações políticas e ideológicas subjacentes) ao estabelecer algumas bases. Como vimos, mesmo se nascemos com um patrimônio genético, nossos comportamentos não são totalmente "determinados" por essa herança transmitida por nossos pais. Mas qual parte de nossa personalidade e de nossos comportamentos resulta do que é inato e qual parte se deve ao nosso ambiente social? Como explicar as diferenças importantes, ou, ao contrário, os caracteres comuns – entre seus filhos, por exemplo? Eles se devem em parte a fatores biológicos inatos, transmitidos sem modificação (hereditários) dos pais para os filhos? Temos todos as mesmas chances de ser biologicamente predispostos a desenvolver certas habilidades intelectuais e artísticas? Por que Mathieu, cujo pai é professor na Politécnica, é bom em matemática? Por que Jeanne é musicista, cantora e excelente pianista? É porque sua avó e sua tia-avó alcançaram uma reputação internacional nesse campo? Astrid, esportista de sucesso, nadadora, surfista e esquiadora competitiva, ganhadora de inúmeros prêmios internacionais, teria herdado as disposições de seu pai e de seu avô, eles também antigos campeões? E como explicar que os filhos de Mathieu e Astrid, com idades entre 6 e 10 anos, já sejam músicos apaixonados e esportistas determinados?

A ETERNA DISPUTA: LAMARCK CONTRA DARWIN

Para compreendermos melhor o fenômeno da "transmissão de caracteres adquiridos", do qual trataremos aqui, parece-me importante lembrar as principais teorias da evolução, suas origens e, sobretudo, a relação entre a teoria de Lamarck (baseada na lei do uso e do não uso) e a de Darwin (que teoriza a seleção natural).

O naturalista francês Jean-Baptiste de Lamarck (1744-1829) é considerado o pai da teoria da evolução. Devemos também a ele a invenção de uma ciência totalmente nova, a exemplo da física ou da química, batizada de "biologia". No século XVIII, essa ciência, que estuda os seres vivos, alarga seu perímetro a "tudo o que é geralmente comum aos vegetais e animais, como todas as faculdades que são próprias a cada um desses seres, sem exceção". Conhecido por sua classificação dos invertebrados (80% dos seres animais), Lamarck afirma que a especificidade dos seres vivos reside na organização da matéria que os constitui. Considerando que a "ordem das coisas" não é determinada de uma só vez, mas segue o ciclo da vida, ele desenvolveria uma teoria física dos seres vivos: uma visão das condições de sua transformação e de sua evolução. Sua abordagem repousa sobre a ideia, enunciada desde Aristóteles ("As matérias naturais possuem em si mesmas um princípio de movimento"), de uma adaptação dos seres vivos sob a influência de seu meio. Sua quarta lei da evolução – "Tudo o que é adquirido, traçado ou mudado na organização dos indivíduos no decorrer de sua vida é conservado pela geração e transmitido aos novos indivíduos que provêm daqueles que viveram essas mudanças" – faria com que lhe fosse atribuído o princípio de transmissão dos caracteres adquiridos.

Em 1859, o naturalista inglês Charles Darwin (1809-1882) publica sua obra-prima: *A origem das espécies*. Nesse texto capital, cujo eco ressoa ainda hoje, ele propôs uma nova teoria da evolução que não demoraria a suplantar as hipóteses enunciadas anteriormente por Lamarck. Para Darwin, as espécies vivas evoluíram ao longo do tempo segundo um processo de "seleção natural": "O poder de seleção, de acumulação, que possui o Homem é a chave desse problema; a

Natureza fornece as variações sucessivas, o Homem as acumula em certas direções que lhe são úteis. [...] As pequenas diferenças que distinguem as variedades de uma mesma espécie tendem regularmente a aumentar até se tornarem iguais às grandes diferenças que existem entre as espécies de um mesmo gênero, ou entre gêneros distintos".

De acordo com ele, a diversidade das espécies não é fruto de uma reprodução entre espécies bastante distintas, mas consequência de diferenças genéticas entre os indivíduos que crescem progressivamente, geração após geração. A evolução é, então, resultado de uma modificação progressiva das espécies ao longo das gerações. Para dizê-lo de forma mais simples, as gerações se sucedem enquanto se diversificam. Por exemplo, se o cervo e o lobo possuem características em comum (pelos, membros, orelhas, olhos etc.), assim como o macaco e o homem, isso não se deve a uma provável consanguinidade. Quem sai aos seus não degenera, se me permitem essa expressão um pouco trivial... Originalmente, todos os seres vivos possuiriam um ancestral comum: é o que Darwin chama de "descendência com modificação". Assim, a evolução tem origem em uma espécie ancestral comum, que resulta, no decorrer do tempo, na diversidade dos seres vivos tais como os conhecemos hoje.

Por outro lado, para Lamarck, o meio (ambiente) tem uma influência direta e preponderante na evolução das espécies. Ele acredita que os caracteres adquiridos ao longo da vida possam ser herdados. Desde então, fala-se da "hereditariedade dos caracteres adquiridos". As circunstâncias, as necessidades ou as novas práticas dos animais seriam então suscetíveis de modificar os organismos vivos e de melhorar sua adaptação às dificuldades de seu meio (clima, acesso a alimentos etc.). Essas modificações seriam transmitidas à descendência. Lamarck defende a ideia segundo a qual as formas de vida evoluíram progressivamente: as espécies descendem umas das outras, tornando-se, ao mesmo tempo, mais complexas ao longo das gerações.

Para ilustrar essa teoria, lembremos o exemplo, que se tornou célebre, da evolução do pescoço das girafas. Você sabe por que todas as girafas têm pescoço longo? Segundo Lamarck, as primeiras girafas possuíam o pescoço bem mais curto. Teria sido somente por conta de seus esforços para esticá-lo, a fim de alcançar os alimentos situados nos galhos mais altos das árvores, que ele teria se alongado progressivamente. Essas "novas" girafas teriam transmitido tal vantagem adaptativa do "pescoço mais longo" a seus descendentes. Todas as gerações seguintes conservaram esse caráter, desenvolvendo um pescoço cada vez mais longo, até que o processo atingisse o comprimento ideal (atual, portanto) para a espécie chamada "girafa". Uma teoria que os naturalistas resumiram por meio da expressão: "A função cria o órgão".

Enquanto Lamarck explica que é o uso intensivo de um órgão (ou o seu não uso) por um animal que conduz à modificação, Darwin retém o princípio de uma seleção devida à luta pela sobrevivência: as espécies se entregam a uma competição árdua, mas não intencional, que as leva a tentar captar o máximo possível de recursos, às vezes em detrimento de outras, a fim de assegurar a própria sobrevivência. Para ele, a evolução seria a consequência de um processo de seleção natural, resultante de três fatores determinantes: a variabilidade do caráter dentro da espécie, a taxa de sobrevivência e de reprodução diferencial e a transmissão do caráter adquirido à geração seguinte. Portanto, o alongamento do pescoço da girafa seria apenas a consequência dessa luta pela sobrevivência. Mesmo que Darwin reconheça que as variações hereditárias possam aparecer de forma espontânea e acidental, ele considera que as variações adaptativas não são induzidas pelo meio, como supunha Lamarck.

O SER HUMANO É RESULTADO DE UMA LONGA EVOLUÇÃO DO REINO ANIMAL

Foi lendo o economista britânico Thomas Robert Malthus (1766-1834) em 1838 que o autor de *A origem das espécies* compreendeu o descompasso entre o crescimento demográfico das espécies vivas e o crescimento *linear* dos recursos alimentares. Ele mostrará sua descoberta em seu livro autobiográfico: "Estando bem preparado para reconhecer a luta pela existência que se desenrola em todos os lugares a partir da observação prolongada dos hábitos de animais e plantas, compreendi de imediato que, nessas circunstâncias, as variações favoráveis tenderiam a ser preservadas, ao passo que as desfavoráveis, a ser destruídas. O resultado disso seria a formação de novas espécies. Então, ali eu tinha, por fim, uma teoria com a qual trabalhar".[1]

O ponto central de sua teoria, ou seja, a relação "variações hereditárias fortuitas + seleção natural", foi reforçado. Compreenderíamos bem mais tarde que essas variações hereditárias fortuitas estavam relacionadas a mutações do patrimônio genético (do DNA) suscetíveis de provocar a aparição de novos caracteres das espécies, envolvendo, por exemplo, órgãos ou membros. Na luta pela sobrevivência e na competição entre as espécies, certas modificações, reproduzidas e transmitidas às gerações seguintes, representam vantagens adaptativas. Outras, ao contrário, provocam a morte do indivíduo ou propagam uma característica desvantajosa na competição por seleção natural. Com efeito, se o caráter transmitido ocasiona a morte do organismo vivo, este último desaparecerá, e seu patrimônio genético não será mais transmitido às gerações seguintes.

---

1. DARWIN, Charles. *Entendendo Darwin*: a autobiografia de Charles Darwin, editada por seu filho Francis Darwin. Tradução de Débora da Silva Guimarães Isidoro e Mirian Ibanez. São Paulo: Planeta, 2009, p. 274.

Contrariamente a uma crença difundida, não existe, nesse nível, oposição entre a visão darwiniana e a visão lamarckiana da seleção natural. Os dois naturalistas concordam com a ideia (comumente admitida por seus contemporâneos) de transmissão dos caracteres adquiridos e reconhecem que as espécies vivas se transformaram ao longo do tempo. Ambas as teorias científicas contradizem a visão religiosa de um mundo imutável saído de uma intervenção divina e rejeitam a ideia de uma especificidade do homem em relação ao restante do mundo animal.

Foi, sobretudo, por tais razões que essas teorias foram de encontro às mentalidades da época e suscitaram violentas polêmicas. A comunidade científica daquele tempo considerava que não existia nenhuma prova real da hipótese da hereditariedade dos caracteres adquiridos proposta por Lamarck. Além disso, para os crentes, o homem não poderia "descender do macaco", já que é uma criatura de Deus, superior a todas as outras. Na realidade, Darwin nunca afirmou que o homem era *descendente* do macaco. Sua teoria foi frequentemente caricaturada e até mesmo incompreendida. Segundo a classificação científica das espécies, o ser humano faz parte dos "símios", um grupo de mamíferos primatas. Desde a época de Darwin, a genética mostrou que partilhamos mais de 98% de nosso DNA com o chimpanzé. O humano partilha um ancestral comum com todas as outras espécies: ele é resultado de uma longa evolução do reino animal.

INATO E ADQUIRIDO: UM DEBATE SUPERADO

No final do século XIX, em seu artigo "Pesquisas sobre híbridos vegetais" (1865), o monge católico e botânico austríaco Gregor Mendel (1822-1884) constata que os caracteres transmitidos são distintos e vêm inscritos nos genes. Essas célebres "leis de Mendel" mostram que de fato existem fortes chances de que a ascendência de um ser vivo possua genes idênticos (comuns) aos de seus parentes. Contradizendo as teorias de Lamarck, essa descoberta, que funda as bases da genética, coloca um fim à "disputa" que opõe lamarckismo e darwinismo entre o final do século XIX e a primeira metade do século XX.

Porém, nossos conhecimentos científicos serão novamente postos em xeque com a aparição da microbiologia e, depois, da biologia molecular. Como vimos, o princípio do determinismo genético não se sustenta mais (o DNA não sendo o único responsável pela hereditariedade), e a comunidade científica hoje está de acordo em relação à ideia de que inúmeras formas de hereditariedade não genéticas intervêm, seguindo o mecanismo da epigenética.

A epigenética terá impactos consideráveis nas teorias da evolução, reintroduzindo a possibilidade de uma "transmissão dos caracteres adquiridos". A doutrina clássica postula, nos seres vivos (e nos mecanismos genéticos em geral), que as sequências de DNA intervêm na transmissão de caracteres de uma geração a outra. No entanto, um número crescente de experiências realizadas ao longo da última década demonstra que os mecanismos epigenéticos controlam também a herança de caracteres *transgeracionais*. Em uma linguagem simples, isso significa que é possível estabelecer uma ligação entre os estímulos ambientais e as modificações da expressão de certos genes do sistema nervoso de indivíduos adultos.

Essa descoberta fundamental prova que as experiências fortes vividas por nossos pais, avós e bisavós podem modificar o fenótipo de nossos netos, mesmo que esses caracteres não sejam diretamente mutagênicos (que eles não mudem a composição das letras do código genético). Isso dá razão aos cientistas convencidos há tempos da função combinada do inato e do adquirido no desenvolvimento, sobretudo, de doenças mentais. Contra todas as probabilidades, isso também confere uma nova vitalidade às ideias defendidas pela corrente *neolamarckiana*.

Os mecanismos da hereditariedade epigenética implicados em doenças como o estresse, a depressão, os vícios, os transtornos mentais, os distúrbios bipolares, a esquizofrenia e a obesidade puderam ser decifrados. Por exemplo, os pesquisadores da Universidade Duke demonstraram que a metilação de um gene ligado ao transtorno de estresse pós-traumático e à depressão poderia afetar as reações de um indivíduo que enfrenta algum tipo de ameaça. A metilação agiria sobre um gene de transporte da serotonina (um dos hormônios do bem-estar, que já vimos no livro) desde a fenda sináptica (zona de contato entre dois neurônios) até os neurônios pré-sinápticos (células encarregadas de repassar a mensagem nervosa transmitida antes da sinapse) por meio de um processo molecular chamado "recaptação da serotonina" (o qual age sobre o cérebro, aumentando as taxas de serotonina pela inibição de sua recaptura no nível da sinapse).[2]

Tal processo está presente em vários medicamentos pertencentes à classe dos inibidores seletivos da recaptação da serotonina, como o Prozac, usados para tratar depressão e transtornos mentais. As análises por ressonância magnética funcional do cérebro de estudantes voluntários confirmam a reatividade emocional de uma zona do cérebro chamada amígdala (a sede das emoções). Assim, quanto mais o gene do transportador da serotonina é metilado, mais fortes serão as respostas ao estresse e a vulnerabilidade a desordens como o estresse pós-traumático, o transtorno obsessivo-compulsivo (TOC), a ansiedade e outros distúrbios mentais ligados ao estresse.

À luz desses novos conhecimentos, o grande desafio da epigenética consistirá em resolver este problema: como os caracteres adquiridos pelos pais podem ser

---

2. KIRKPATRICK, Bailey. Epigenetic tags on serotonin transporter gene linked to stress. *WhatIsEpigenetics.com*, 2014. Disponível em: <https://www.whatisepigenetics.com/epigenetic-tags-on-serotonin-transporter-gene-linked-to-stress/>. Acesso em: 9 abr. 2019.

transmitidos a seus descendentes ao longo de várias gerações? A resposta a essa questão está ligada a processos darwinianos de seleção interna. Como mostraram, nos anos 1970, o neurobiólogo Jean-Pierre Changeux e sua equipe, a "estabilização seletiva das sinapses", ou seja, o desenvolvimento das sinapses do cérebro por meio da aprendizagem, fundamenta-se num mecanismo de tipo darwiniano.[3] Um mecanismo de seleção natural permite, efetivamente, o fortalecimento de alguns circuitos neuronais conservados em detrimento de outros não utilizados e, por consequência, abandonados no prosseguimento da evolução das funções cerebrais.

Em seguida, aquilo que é adquirido é evidentemente familiar: a maneira como nossos pais nos educaram, os valores ensinados, as reações observadas e aprendidas, os ambientes, tudo isso tem um peso especial na nossa relação com o mundo. Nosso cérebro é "plástico". Constitui uma rede "fluida" em relação ao corpo como um todo. Como vimos, ele se desenvolve, aprende e se adapta ao nosso ambiente ao longo de toda a nossa vida. É justamente graças a essa propriedade que escapamos ao determinismo genético. É evidente, por exemplo, que a cultura de origem, o contexto histórico e a origem social em uma dada cultura vão modelar as

---

3. CHANGEUX, Jean-Pierre; COURRÈGE, Philippe; DANCHIN, Antoine. A theory of the epigenesis of neuronal networks by selective stabilization of synapses. *PNAS*, Washington, v. 70, n. 10, p. 2.974-2.978, 1973.

estruturas psicológicas, os comportamentos, as "personalidades" dos indivíduos, sua maneira de falar e de reagir a certas situações.

Nos processos de aprendizagem da criança, por exemplo, a conexão entre as sinapses se dá por meio da estabilização seletiva das conexões úteis. Após uma fase de conexões abundantes e redundantes, constituem-se circuitos prioritários entre os neurônios. Pelo jogo de relações com o meio ambiente, as "soldas" bioquímicas que unem alguns desses circuitos se reforçam e estabilizam. Após um processo interno de seleção darwiniana, as outras conexões se degeneram e desaparecem. Como observou Jean-Pierre Changeux em seu livro *O homem neuronal*,[4] aprender é eliminar. "Aprender é estabilizar combinações sinápticas preestabelecidas. E é também eliminar as outras."

EPIGENÉTICA E TRANSMISSÃO HEREDITÁRIA DE CARACTERES ADQUIRIDOS

No momento em que a fecundação ocorre, o DNA do espermatozoide e o DNA do óvulo não são os únicos que se encontram e se fundem. Existe, no seio das células germinais, um grande número de moléculas, sobretudo de microRNAs, mas também de peptídeos, hormônios e fatores de crescimento, suscetíveis de influenciar o desenvolvimento do embrião. Essas

---

4. CHANGEUX, Jean-Pierre. *O homem neuronal*. Tradução de Artur J. P. Monteiro.. Alfragide: Dom Quixote, 1985.

moléculas podem ter sido produzidas em resposta a eventos traumáticos ou a fatores que determinarão a vida em longo prazo (separação da mãe no nascimento, desnutrição, excessos alimentares, falta de exercício ou de sono, entre outros).

O trabalho admirável de Isabelle Mansuy e de sua equipe da Universidade de Zurique possibilitou a identificação de mecanismos de transmissão epigenética do estresse em camundongos.[5] Os pesquisadores destacaram especificamente as moléculas de microRNA produzidas durante a vida que intervêm em momentos traumáticos ou de estresse intenso. Essas moléculas foram detectadas no esperma de camundongos adultos que foram separados da mãe logo após o nascimento. Foram estabelecidas provas de que extratos purificados de microRNA de camundongos estressados injetados em embriões de camundongos normais levavam, no nascimento, ao mesmo comportamento anormal dos camundongos estressados. Por outro lado, os camundongos que haviam recebido o microRNA testemunha (portanto não estressado) permaneciam normais.

---

5. SCHIPPER, Ori. L'épigénétique est-elle héréditaire?. *Fond National Suisse de la Recherche Scientifique,* Berna, 7 dez. 2016. Disponível em: <http://www.snf.ch/fr/pointrecherche/newsroom/Pages/news-161207-horizons-epigenetique-est-elle-hereditaire.aspx>. Acesso em: 9 abr. 2019.

A redução da produção de glutamato[6] nos camundongos descendentes de camundongos altamente estressados provoca uma modificação das histonas. Esse efeito é causado por outro processo, diferente da metilação: fala-se em acetilação do gene codificador para o glutamato. Assim, mostrou-se que a produção ou a inibição de uma molécula que age no cérebro pode ser obtida pela transmissão epigenética de caracteres expressos pelos pais.

A transmissão hereditária dos caracteres adquiridos ligados ao estresse também foi confirmada por uma equipe da Universidade Rockefeller, nos Estados Unidos. Os pesquisadores demonstraram que a acetilação das histonas desempenha um papel fundamental na transmissão de transtornos mentais como a ansiedade e a depressão.[7] Eles observaram que os camundongos que reagiam de forma inconsistente aos testes de depressão e ansiedade apresentavam taxas menos elevadas de glutamato na região do cérebro chamada "hipocampo" (envolvida nas respostas emocionais e no estresse). A molécula mGlu2 regula o neurotransmissor glutamato, e sua diminuição em camundongos muito sensíveis ao estresse é resultado

---

6. O glutamato é um neurotransmissor que pode produzir mudanças estruturais no cérebro e que desempenha um papel fundamental nos processos de conexão entre os neurônios.

7. NASCA, C. et al. Stress dynamically regulates behavior and glutamatergic gene expression in hippocampus by opening a window of epigenetic plasticity. *PNAS*, Washington, v. 112, n. 48, p. 14.960-14.965, 1 dez. 2015.

de uma modificação das histonas por meio da acetilação do gene codificador para a mGlu2. Os pesquisadores também provaram que era possível reduzir os sintomas da depressão utilizando um antioxidante bastante conhecido: a acetilcarnitina (Alcar).

Outra equipe, proveniente do laboratório da Escola de Medicina do Monte Sinai, demonstrou que a regulação de um único gene específico localizado em uma zona do cérebro ligada à depressão e aos vícios podia controlar as respostas de um indivíduo submetido a drogas ou a situações geradoras de estresse. Ao recriar os mecanismos de dependência à cocaína nos camundongos, a equipe evidenciou a transmissão desse caráter adquirido na descendência e também nas novas gerações. Esses resultados confirmam também que muitos fatores de transcrição e de modificações epigenéticas são alterados pela exposição a drogas e estresse e que, consequentemente, essas mudanças controlam a expressão dos genes.

Além disso, os resultados revelaram que a parte do cérebro responsável pelo circuito de recompensa dependia de um gene chamado FosB (ligado à depressão e à dependência de drogas).[8] Essas mudanças não são transmitidas por mutações realizadas no DNA, mas

---

8. HELLER, Elizabeth A. et al. Locus-specific epigenetic remodeling controls addiction- and depression-related behaviors. *Nature Neuroscience*, Londres, v. 17, p. 1.720-1.727, 2014.
SONS of cocaine using fathers have profound memory impairments. *NeuroscienceNews.com*, 2017. Disponível em: <https://

por outros fatores que agem nas células germinativas (espermatozoides e óvulos). Presentes no embrião no momento de seu desenvolvimento, influenciam seu crescimento e sua organização. Provou-se, assim, que o gene implicado era também responsável por uma sensibilidade maior às drogas e por uma resistência ao estresse. Até então, as regulações epigenéticas, que interferem em centenas ou até mesmo em milhares de genes, tornavam difícil a confirmação da presença de uma epimutação e de sua relação funcional com doenças neuropsiquiátricas.

A DESCOBERTA DO "GENE EGOÍSTA"

Os efeitos da expressão de genes na transmissão epigenética de caracteres adquiridos estão sendo hoje comprovados em um número crescente de publicações científicas. Mas qual seria o papel específico de certos genes em relação ao organismo como um todo? Existiriam "genes egoístas" que se reproduziriam e desenvolveriam somente para a própria sobrevivência?

Desde a época de Gregor Mendel e de Charles Darwin, a noção de gene ganhou uma importância considerável no pensamento científico e filosófico a respeito da evolução biológica. Essa noção se aplica também à sociedade, no que chamamos de "darwinismo social", conceito controverso que busca justificar

---

neurosciencenews.com/memory-impairment-cocaine-dads-6157/>. Acesso em: 9 abr. 2019.

a concorrência entre as empresas, as economias ou os Estados, levando à sobrevivência do mais apto. Outro conceito controverso, mas capaz de estimular a reflexão sobre a evolução darwiniana no nível social, é o de "gene egoísta", proposto pelo biólogo, etnólogo e teórico da evolução britânico Richard Dawkins.[9]

Em sua obra *O gene egoísta*,[10] publicada em 1976, Dawkins afirma que o único "objetivo" do gene é sobreviver no plano molecular e transmitir-se para constituir organismos vivos capazes de se manter em vida. Sua sobrevivência depende da aptidão para programar organismos que saberão preservá-lo a fim de transmiti-lo de geração em geração. Os organismos vivos, que representam apenas "embalagens" para os genes que transportam, também deverão garantir egoisticamente a própria sobrevivência (e, por consequência, a manutenção da vida dos genes egoístas que contêm). Os seres vivos se revelam altruístas quando protegem seus filhos, irmãos ou sobrinhos, às vezes colocando a própria vida em perigo. Se eles agem conscientemente para proteger seus próximos, seus genes, por outro lado, são "egoístas", pois sua preocupação (se assim posso dizer) não é que o organismo sobreviva como indivíduo, mas

---

9. Dawkins é conhecido em todo o mundo tanto por suas teorias científicas como por um de seus livros, com título provocador, publicado em 2006. DAWKINS, Richard. *Deus, um delírio*. Tradução de Fernanda Ravagnani. São Paulo: Companhia das Letras, 2007.

10. DAWKINS, Richard. *O gene egoísta*. Tradução de Rejane Rubino. São Paulo: Companhia das Letras, 2007.

que os genes que ele contém possam continuar a se propagar o máximo possível nas populações.

Publicado há quarenta anos, o best-seller internacional de Richard Dawkins desencadeou uma onda de críticas. Seus detratores o acusaram de fornecer elementos que favoreciam a tese de um determinismo social. Convém precisar que *O gene egoísta* foi publicado no contexto da chegada ao poder da conservadora Margaret Thatcher (1925-1913), primeira-ministra do Reino Unido de 1979 a 1990. As interpretações maldosas do pensamento do autor serviram, sobretudo, para caucionar ideologias científicas, sociais ou políticas ultraliberais, como a eugenia ou a eliminação dos mais fracos.

CAPÍTULO 6

Meme e memética: uma nova visão da sociedade humana

O meme, equivalente cultural do gene

Em *O gene egoísta*, Richard Dawkins estabelece um paralelo entre o *gene* biológico e o *meme* sociológico. A teoria do meme é, atualmente, considerada pela comunidade científica e filosófica como uma nova forma de conceber o mundo, que traria novos mecanismos de transmissão cultural.

Dawkins define o meme como o equivalente cultural do gene: "Uma unidade de informação contida em um cérebro e cambiável dentro de uma sociedade". Lembre que "meme" é um elemento cultural identificável (crenças, práticas sociais, palavras/linguagem, rituais, modas etc.) que pode ser transmitido, de certa maneira, *por mimetismo*, ou seja, por imitação do comportamento ou das expressões de um indivíduo.

Para Dawkins, os memes são, assim como os genes, espécies de replicadores: concebidos por analogia, estão para o campo da cultura assim como os genes estão para o campo da natureza: "Encontram-se exemplos de memes em músicas, ideias, slogans, moda do vestuário, na maneira de fabricar potes ou construir arcos".

Com a noção de meme, Dawkins abriu um novo campo fundamental que permite, nesse estágio, indicar de que maneira processos e mecanismos emprestados da epigenética podem ajudar os homens a construir juntos seu futuro na sociedade em que vivem. Uma participação individual e coletiva torna-se possível e operacional graças ao conceito de meme e da disciplina que estuda sua propagação e sua influência: a *memética*.

Essa disciplina nasceu nos anos 1980, concomitantemente com o termo que a designa, inspirada por uma combinação de palavras: *mimesis* ("imitação", em grego), *gene*, *même* ("idêntico", em francês) e *mem* (abreviação de "memória"). É interessante notar que a Société Francophone de Mémétique

[Sociedade Francófona de Memética] foi criada na França em 2003.[1]

Pode-se considerar que a memética aplica à cultura humana conceitos e modelos provenientes da teoria da evolução. Ela se posiciona no interior das ciências humanas e sociais e trabalha com a evolução de fenômenos culturais no tempo e no espaço. Dessa maneira, inscreve-se no contexto de um "darwinismo estendido". Em outros termos, é a aplicação da teoria da evolução a campos tão variados quanto a produção cultural, a expressão e os suportes midiáticos, as redes sociais, os movimentos associativos, as comunidades colaborativas e os modos de representação políticos, religiosos ou filosóficos. Discutirei aqui dois exemplos, um que diz respeito ao digital, outro, ao biológico.

UMA EVOLUÇÃO DIGITAL

Pesquisadores da inteligência artificial (ou IA), utilizando máquinas capazes de simular a inteligência, de aprender e de substituir humanos em algumas funções, recorrem sobretudo a "algoritmos genéticos", propostos em 1975 por John Holland, da Universidade do Michigan e do Santa Fe Institute.[2] Trata-se

---

1. Cf. SOCIÉTÉ FRANCOPHONE DE MÉMÉTIQUE.
Mémétique. Apresenta informações sobre a memética em francês. Disponível em: <https://www.memetique.org/>. Acesso em: 9 abr. 2019.
2. HOLLAND, John. *Emergence*: from chaos to order [Emergência: do caos à ordem]. Nova York: Basic Books, 1999.

de fragmentos de programas que podem modificar-se, associar-se uns aos outros e criar, por evolução de natureza darwiniana, novas sequências de programas que possibilitam a adaptação à evolução de um sistema complexo. Essa "evolução digital" consiste em deixar evoluir espontaneamente populações de programas de computador em competição. Estes deverão propor a solução mais bem adaptada a um dado problema. Essa forma de programação tem hoje múltiplas aplicações nos mais diversos setores: aeronáutica, meio ambiente, microeletrônica, altas finanças, entre outros.

As sequências de programas são códigos, semelhantes a cadeias de DNA, capazes de formar ramificações e de se fixar umas às outras. Tais como os vírus de computador (e o DNA), elas podem se duplicar, se recortar e se recombinar. Uma primeira geração de sequências é criada a fim de testar sua capacidade (ainda fraca) de resolver um problema colocado. O programa isola aquelas que são mais eficazes, fazendo-as se reproduzir (em cópias automáticas) e depois se modificar por meio da recombinação de algumas sequências entre elas. O resultado é uma segunda geração de programas. O mesmo processo é aplicado a essa segunda geração (teste, seleção, reprodução, modificação). Após milhares de gerações de sequências obtidas com a rapidez da informática, as mais eficazes se reforçam geração após geração. As novas "espécies" de programas convergem para a resolução do problema colocado, encorajando a seleção do mais apto a ganhar a competição entre populações. Os programas de inteligência artificial e, sobretudo, a *deep learning* (aprendizagem profunda) utilizam esses sistemas de evolução digital para aumentar a capacidade de aprendizado de seus próprios algoritmos e ensiná-los a outros algoritmos. Pode-se realmente falar de evolução darwiniana digital.

Em 2016, para ganhar de Lee Sedol, o campeão sul-coreano de Go, a IA do computador AlphaGo, desenvolvido pela DeepMind, filial do Google, foi alimentada com milhares de partidas jogadas por profissionais e amadores, o que lhe permitiu, graças à *deep learning*, aprender suas estratégias e raciocínios. Atualmente, o AlphaGo Zero, também desenvolvido pela DeepMind, aprende sozinho a jogar Go. Ele treina jogando milhões de vezes contra si mesmo, sem outros conhecimentos sobre o Go além das próprias regras do jogo. Diferentemente do AlphaGo, ele não precisou enfrentar partidas jogadas por humanos para se tornar imbatível: após somente três dias de treinamento (ou 5 milhões de partidas solo), venceu a versão 2016 do AlphaGo.[3]

OS VÍRUS DE COMPUTADOR SÃO VIVOS?

Outro exemplo: graças à IA, os ciclos biológicos ou tecnológicos de mutação-invenção/seleção-amplificação se aceleraram a tal ponto que as etapas de nascimento,

---

3. GIBNEY, Elizabeth. Self-taught AI is best yet at strategy game Go. *Nature.com*, 2017. Disponível em: <https://www.nature.com/news/self-taught-ai-is-best-yet-at-strategy-game-go-1.22858>. Acesso em: 9 abr. 2019.

reprodução, sobrevivência e transmissão, estimuladas por bilhões de instruções por segundo, se desenvolvem atualmente (geração após geração) em alguns minutos. As relações dos programas autorreprodutivos com a biologia vão muito além do vocabulário (vírus, vacina, imunização, infecção, desinfecção, epidemia, mutações, colonização etc.).

Muitos pesquisadores, entre os quais estava o astrofísico britânico Stephen Hawking, acreditam que os vírus de computador sejam "vivos": eles possuem vida própria no silício dos microprocessadores e nas redes de comunicação. À maneira dos vírus biológicos, que infectam células e desviam o maquinário biológico e o metabolismo destas a seu serviço, os vírus de computador (ou *infoparasitas*) precisam do ambiente e do metabolismo da máquina para se reproduzir. Em uma entrevista à BBC em 2014, Hawking declarou: "As formas de inteligência que temos já se mostraram muito úteis. Mas penso que o desenvolvimento de uma inteligência artificial completa poderia pôr fim à raça humana. Os humanos, limitados por uma lenta evolução biológica, não poderiam competir com ela e seriam desbancados".[4]

A abordagem bastante profícua do meme permite também que encontremos as noções importantes de

---

4. CELLAN-JONES, Rory. Stephen Hawking: Inteligência artificial pode destruir a humanidade. *BBC.com*, 2014. Disponível em: <https://www.bbc.com/portuguese/noticias/2014/12/141202_hawking_inteligencia_pai>. Acesso em: 9 abr. 2019.

força e de fluxo, de elementos e ligações, que representam as bases do funcionamento e da construção das sociedades modernas.[5] O conceito de meme e memética, paralelamente ao de gene e epigenética, modifica radicalmente nossa representação da complexidade das sociedades e do mundo no qual vivemos ao introduzir a fluidez e a capacidade de transformação evolutiva.

Com efeito, o pensamento científico e suas aplicações sociais se construíram em torno de duas noções fundamentais: o elemento e a força. Os elementos são as partículas, os átomos, as moléculas, as células, mas também os agentes que atuam nos mercados, os consumidores, os eleitores, os indivíduos representados por seus votos ou suas manifestações públicas midiatizadas. A força é a dos partidos que se opõem, dos armamentos em competição uns contra os outros, mas também, no plano científico, a força gravitacional ou a força eletromagnética.

Constata-se hoje que elementos e força são parcialmente substituídos por "ligação" e "fluxo". Fala-se em ligação social, ligação humana, mas também, na internet, de "link clicável", que possibilita ao usuário se encontrar em outro espaço, enquanto a força dá lugar aos fluxos de dados, de informações, aos fluxos monetários, financeiros, demográficos, turísticos, alimentares...

---

5. ROSNAY, Joël de. *Surfer la vie*. Comment sur-vivre dans la société fluide [Surfar a vida: como sobreviver na sociedade fluida]. Paris: LLL, 2012.

Ligações e fluxos levam à substituição da verticalidade das estruturas, das organizações e dos comandos pela horizontalidade e pela inter-relação. À abordagem analítica, sequencial e linear tradicional, sucede-se uma abordagem baseada nas interdependências e nos feedbacks, assegurando a avaliação das ações de empresas, enquanto a competição clássica dá lugar à cooperação, mesmo se tratando às vezes de "coopetição" (cooperação competitiva). A linearidade na relação entre as causas e os efeitos é complementada pela retroalimentação, possibilitando ao mesmo tempo verificarmos que os objetivos foram atingidos e assegurarmos a autorregulação em tempo real de sistemas complexos.

DA COMPETIÇÃO INDUSTRIAL À DISRUPÇÃO

Essas transformações, que são elas próprias relacionadas aos memes e à memética, impactam a democracia representativa, a governança dos cidadãos, a economia colaborativa e cooperativa, a coeducação por meio de novos sistemas digitais de trocas, assim como os campos da saúde, da distribuição de recursos e da energia no ecossistema ambiental e digital interativo. Levam à "disrupção" das organizações tradicionais, piramidais e rígidas.

Jean-Marie Dru, presidente da TBWA, é o inventor da "disrupção", uma metodologia criativa (e uma marca registrada em 1992). Ele provavelmente foi o primeiro a se espantar quando seu "conceito" começou a se espalhar como um rastro de pólvora. Com exceção de alguns "iniciados", ninguém conhecia essa palavra antes de 2015. Agora, é um termo – um meme – inevitável quando se trata de inovação, de ruptura e de transição digital. Uma inovação violenta, já que o objetivo do jogo, cujas regras foram estabelecidas pelas startups do mundo digital, consiste em repensar completamente as organizações, os custos, os ramos e as tecnologias, com a intenção de "dar um empurrão" nos líderes econômicos tradicionais que dominavam seu setor no antigo mundo.

Com os carros elétricos autopilotados da Tesla e, em breve, seus semirreboques elétricos autônomos, Elon Musk está *disruptando* a indústria automobilística e de transportes. Adam Jonas, o analista estrela do banco Morgan Stanley, declarou que se tratava da maior revolução desde a invenção dos transportes rodoviários. Enquanto seu trem futurista que flutua em colchões de ar, o Hyperloop, se prepara para desbancar os TGVs[6] e o transporte aéreo atingindo a velocidade do som, Musk – que decididamente está sempre um trem, ou, melhor ainda, um foguete à frente de todo mundo – está disruptando o aeroespaço, anunciando voos turísticos em direção à Lua e a colonização de Marte em 2028!

---

6. Sigla de "Train à Grande Vitesse", ou seja, trem de alta velocidade. (N.T.)

Em uma escala mais modesta, os aplicativos que colocam em contato condutores e usuários simbolizam a disrupção por excelência. Você definitivamente conhece a guerra sem trégua entre a Uber e os taxistas. No setor de turismo, o Airbnb exaspera a hotelaria e as agências imobiliárias, juntando proprietários que desejam alugar suas casas diretamente a turistas e com um "preço amigável". Na França, o líder mundial de caronas BlaBlaCar desafia a SNCF[7] propondo dividir seu carro com vários passageiros para viajar. O Ulule, líder europeu de *crowdfunding*, a Kickstarter ou o KissKissBankBank "importunam" os bancos oferecendo às pessoas e às empresas financiamento participativo (ou microcrédito) para ajudá-las a realizar seus projetos. As plataformas colaborativas Doctolib, MonDocteur ou Docavue perturbam o setor da saúde, oferecendo consultas sem espera com médicos generalistas e especialistas. Há médicos que temem ser desbancados pela inteligência artificial e pela *deep learning*, capazes de estabelecer melhores diagnósticos do que eles...

Centenas de pequenas startups criativas, que se tornaram poderosas, fazem sombra aos colossos, que descobrem quase do dia para a noite que estão fincados em areia movediça. Por todas essas razões, é fundamental que protejam seu DNA e seu Big Data acumulados ao longo das relações com seus clientes ou usuários.

---

7. Société Nationale des Chemins de Fer Français, empresa ferroviária estatal francesa. (N.T.)

DA GENÉTICA À MEMÉTICA

Convém utilizar a noção de DNA social como uma metáfora para ilustrar os meios de armazenamento e aplicação das informações (o Big Data) que garantem a memória e o funcionamento de organizações complexas. Se a metáfora do DNA social é profícua, tomemos cuidado, no entanto, para definir corretamente seus limites. Assim como o gene biológico não é o programa que controla tudo, o meme social ou cultural (integrado a seu DNA) não pode ser considerado um programa que tem controle sobre tudo. As inter-relações (ou feedbacks) com seu ambiente, seu ecossistema, são bastante reais.

O homem é "aberto" em sua interdependência com o outro e com os outros. A neotenia designa a capacidade do cérebro das crianças de tornar-se mais complexo e até mesmo de crescer; o caráter neotênico do homem para se abrir, aprender e transformar destaca a possibilidade de aprofundamento e de evolução acumulativa que existe no cérebro humano.

Como vimos ao evocarmos as especificidades de características da epigenética para o gene, um programa não pode ser executado sem os elementos que asseguram a amplificação ou a inibição de sua expressão. Se pudermos estabelecer um paralelo entre meme e memética, como já fizemos entre gene e genética, ele deve ser entendido em um contexto diferente. A memética (estudo da estrutura, do funcionamento e da transmissão dos memes) não se limita aos indivíduos biológicos, quaisquer que eles sejam, mas também se aplica aos elementos da cultura. Por analogia, a memética permite analisar, sob um prisma global, a evolução das sociedades e as mutações fundamentais que criam as mudanças, o que Darwin explicou em seus escritos: todo ente capaz de replicação evolui segundo mecanismos idênticos.

Os sociólogos identificaram diferentes tipos de memes pertencentes a campos bastante diferentes. Muitos elementos textuais, em áudio ou em vídeo podem ser considerados memes: os slogans ou as imagens publicitárias, as "frases de efeito" ou os tuítes de uma personalidade política, as canções ou rimas cativantes, as paródias, os provérbios, os remédios populares, as imagens chocantes transmitidas pelas televisões internacionais, os jingles publicitários, os clichês, as expressões, as ideias preconcebidas que se opõem às novas descobertas científicas, as receitas, os manuais, as práticas esportivas que imitamos ao observar os profissionais em ação etc. Esses memes podem ser copiados, amplificados, transmitidos ou memorizados para uso posterior.

Em meu livro anterior, *Je cherche à comprendre. Les codes cachés de la nature* [Procuro entender: os códigos secretos da natureza],[8] desenvolvi a teoria de uma epigenética do DNA da internet. Lembro aqui as linhas

---

8. ROSNAY, Joël de. *Je cherche à comprendre. Les codes cachés de la nature*. Paris: LLL, 2016.

gerais, rapidamente evocadas na introdução: o ecossistema informacional ao qual se integra a internet possui uma espécie de "DNA" social. Mesmo que a metáfora que consiste em falar do DNA de uma empresa ou de um país seja contestável, ela me parece útil para resumir e ilustrar a memória social e digital das organizações humanas.

É a codificação permanente feita pelos humanos (e, em breve, pela inteligência artificial) de novas funções no "ecossistema digital" (novos programas, aplicativos, ferramentas disponíveis na internet) que, acredito, leva ao surgimento de uma forma de "epigenética" desse ecossistema. A cocriação no ecossistema digital determina as direções de sua evolução e o sentido de sua história. É justamente no terreno da epigenética que podemos tentar reinterpretar o funcionamento global da internet e sua reprogramação no ecossistema digital. Assim, os modos de expressão do DNA da internet poderiam ser modificados *internamente* pelos comportamentos dos usuários.[9] A hipótese de uma forma de DNA social contendo códigos transmissíveis de memes e garantindo sua reprodução suscita, no entanto, algumas questões: onde se encontraria esse DNA social e como ele se expressaria?

---

9. ROSNAY, Joël de. L'ADN d'Internet est-il modifiable de l'intérieur?. *Les Échos*, Paris, 2 nov. 2015. Disponível em: <http://archives.lesechos.fr/archives/cercle/2012/11/02/cercle_57913.htm#>. Acesso em: 9 abr. 2019.

O PODER DE MODIFICAR O DNA SOCIAL

A memória e a funcionalidade do ecossistema digital, de suas ligações e redes, repousam em algoritmos e códigos. Como é o caso dos seres vivos, esses códigos de programação (ou aplicativos) são modificáveis e evoluem constantemente. Assim, o "código genético" e essa "epigenética digital" determinam as grandes funções do sistema e sua adaptação às demandas e restrições dos usuários. Suas "mutações" podem se assemelhar às inovações e invenções dos programadores e codificadores em busca de mais eficácia e de uma reatividade melhor.

Essa propriedade pode ser fascinante, mas também pode representar um verdadeiro perigo. É preciso compreender que tais mutações podem constituir uma ameaça para o futuro da internet e, por meio dela, para todos os cidadãos da civilização na era digital. As forças presentes (as empresas, os grandes lobbies – das indústrias financeira, farmacêutica, agroalimentar, de armamentos, de drogas e de energia –, as megaorganizações e os sistemas totalitários) ficam tentadas a dominar ou desviar os recursos e o poder em seu benefício, dentro desse ecossistema. Essas organizações não hesitam em desinformar, em agir sobre a própria informação, em manipular o curso da Bolsa e do mundo financeiro, em colocar em dificuldades empresas concorrentes ou identificadas como "politicamente incorretas" ou até mesmo em mobilizar hackers para invadir e espionar alvos "inimigos" estratégicos.

Sem cairmos em teorias da conspiração, é preciso reconhecer que, por natureza, esses tipos de monopólios servem prioritariamente seus próprios interesses. Essas manobras incessantes que visam captar a maior parte da riqueza representam uma forma de codificação indireta das funções globais da rede. GAFAMA (Google, Apple, Facebook, Amazon, Microsoft, Alibaba) e NATU (Netflix, Airbnb, Tesla, Uber), os novos donos da rede mundial, exercem um controle invisível, mas bastante real e cada vez mais opressor e inquietante, sobre as ações da vida cotidiana, privada ou profissional, dos internautas. A influência dessas empresas na internet parece ilimitada. São organizações que não hesitam em confrontar ou até mesmo contradizer a política das nações.

E se fosse possível modificar profundamente o DNA da internet, exercer um controle multifuncional e multidimensional, ou, em resumo, tomar o poder? Assim como acontece com o organismo vivo, uma epigenética da internet poderia garantir um controle conjunto, uma corregulação desse ecossistema mundial? E se os "usuários neurônios" que os internautas representam detivessem o poder, mesmo que ainda não fossem conscientes disso? E se as modificações "epigenéticas" fossem a consequência do conjunto dos comportamentos dos internautas? Supondo que a resposta seja positiva, como fazer para que os efeitos combinados desses internautas e de seus memes no organismo internet sejam positivos para a democracia, as liberdades humanas e o futuro da humanidade?

A revolução da economia colaborativa em uma sociedade cada vez mais transversal e organizada como uma rede – "a correvolução da sociedade fluida e da partilha", como a descrevo em meu ensaio *Surfer la vie*[10] atesta que a partilha e a cooperação podem levar a movimentos em massa na internet. As ações precedidas por *crowd*, em inglês (*crowdsourcing, crowdfunding...*), são a prova de que a inteligência intuitiva da internet permite resolver problemas complexos, de que a capacidade de financiamento coletivo pode favorecer a criação de novas empresas e de que os manuais de saúde personalizados, graças aos smartphones e, consequentemente, à internet, podem provocar uma reviravolta em indústrias tão sólidas quanto a farmacêutica.

É dessa maneira que surgem os *prosumers* (palavra em inglês formada a partir de *producer*, "produtor", e *consumer*, "consumidor", e que poderíamos traduzir como "prossumidor"). Eles estão "desintermediando" as pirâmides globais que controlam hoje nossa vida: a pirâmide da energia, do banco, do seguro, do turismo, da educação... Poderíamos, então, *de dentro*, modificar ou provocar mudanças nas regras e nas leis. Assim, teríamos

---

10. ROSNAY, Joël de. *Surfer la vie*. Comment sur-vivre dans la société fluide [Surfar a vida: como sobreviver na sociedade fluida]. Paris: LLL, 2012.

o poder de mudar não os genes sociais, mas os memes e também, acredito, o "DNA social".

Mas de qual DNA se trata quando falamos de um país, de uma empresa, de uma família, de um grupo social, de um sindicato ou de um time? Cada DNA possui seus memes e os memoriza, transcreve, traduz e reproduz de acordo com meios e abordagens bastante diversificados.

ONDE SE ESCONDE ESSE DNA SOCIAL?

O DNA social se encontra sob a forma de códigos nas bases de dados das organizações (nos textos, estatutos, nas informações jurídicas e contábeis, no organograma, nas descrições de cargos, nos métodos, nos procedimentos de produção, comunicação e marketing, nos registros, na cartilha de valores...). Essa massa de informações acumuladas, esse Big Data contendo o conjunto de códigos vitais, pode ser considerada uma forma de DNA digital dos organismos de Estado, das empresas públicas ou privadas e das associações ou fundações. Na cultura empresarial, o projeto comum é, como os próprios funcionários o designam, "nosso DNA", o patrimônio genético da empresa, partilhado por todos.

O DNA das marcas mais conhecidas no mundo representa uma característica essencial de sua identidade e de seu desenvolvimento. O que Disney, Lego, Levi's, Coca-Cola, Apple, Chanel ou Nike evocam, para você? Os traços únicos que permitem identificar, avaliar e difundir essas marcas estão ancorados na memória de cada um e na memória coletiva. Constituem os fundamentos de uma nova forma de marketing pelo "burburinho" e pela recomendação. Trata-se de um processo que não parte mais somente da empresa em direção ao futuro cliente, mas também circula no sentido inverso, ou seja, dos clientes em direção à empresa.

Os consumidores são muito sensíveis aos valores encampados pela marca, assim como à qualidade de seus produtos ou serviços. Mesmo que você nunca tenha postado comentários nas redes sociais ou blogs das marcas, talvez já tenha lido avaliações de internautas satisfeitos ou, ao contrário, decepcionados. Milhares, ou mesmo milhões, de internautas podem ler as mensagens deixadas por outros. Ao "criar um burburinho", esses posts se tornam um mecanismo de recomendação nas redes sociais. Nós passamos da "sociedade da informação", expressão na moda nos anos 1980, para a "sociedade da recomendação", que traduz melhor, em minha opinião, o papel dos conselhos mútuos e da coordenação dos *consumidores* por intermédio das redes sociais. Aliás, essa é a razão pela qual é claramente mais eficaz dirigir-se diretamente às marcas por meio do Twitter do que enviar-lhes uma carta pelo correio. As marcas temem, mais do que tudo, o efeito cascata. Um burburinho ruim espalhado nas redes sociais e na grande mídia – sempre em busca de pequenos e grandes escândalos – fará muito mais estragos que a reclamação enviada ao serviço de atendimento ao consumidor.

Para além do DNA das marcas, o DNA das empresas inovadoras conteria, segundo pensam algumas pessoas, um gene da inovação. Essa não é a opinião do inventor da "inovação de ruptura", Clayton Christensen, que afirma que um espírito inovador requer competências que todos nós possuímos, mas não sabemos utilizar. Em *The Innovator's DNA*,[11] um livro de entrevistas com Jeff Bezos, Michael Dell e ainda Rian Tata, Christensen decifra algumas das qualidades fundamentais do inovador, comuns aos maiores disruptores do século XXI, a saber: a partilha, o questionamento, a observação, o networking e a experimentação. Em minha opinião, esses grandes disruptores são excelentes em pôr em funcionamento *processos* que conduzem ao *surgimento de sistemas inovadores complexos*, e não somente a inovações isoladas, no sentido em que muitos industriais e políticos ainda concebem a "inovação".

Quanto ao DNA social de um país, podemos localizá-lo na Constituição, no código de leis, nos regulamentos, nos procedimentos, nos decretos de aplicação das leis, no código jurídico, no código penal, nas leis tributárias... do Estado. Nós o destrinchamos também

---

11. CHRISTENSEN, Clayton et al. *The innovator's DNA*: mastering the five skills of disruptive innovators [O DNA do inovadore: aperfeiçoando as cinco habilidades dos inovadores disruptivos]. Cambridge: Harvard Business Review Press, 2011.

nos programas políticos de diferentes partidos ou candidatos à presidência da República. Quando da eleição presidencial francesa de 2017, você teve a oportunidade de acessar todas as propostas de candidatos em disputa e de emitir um julgamento de valor sobre elas. Para os eleitores, assim como para cada um dos "concorrentes" e seus partidos, não é esta a questão primordial: qual é o seu programa?

Aliás, tornar o programa de governo público é uma obrigação. O programa político é uma forma do DNA social que ainda não foi expresso. Como toda molécula de DNA antes da *bioleitura* do código genético, o DNA biológico do programa também deve ser *transcrito* e *traduzido*, depois *expresso*. Nesse contexto, a transcrição corresponde às diferentes medidas e à sua enumeração nos mais variados campos da vida em sociedade: os setores soberanos da defesa, da justiça e da educação, os do emprego, do meio ambiente ou da comunicação. No que diz respeito à tradução, ela resultará dos decretos de aplicação, garantindo a implementação dessas leis na vida cotidiana dos cidadãos e das empresas. Com efeito, como ninguém deve ignorar a lei, esses diferentes textos, votados, transcritos e traduzidos, assegurarão o bom funcionamento e o controle das sociedades humanas.

Por fim, o DNA de uma equipe é composto pelo estilo, pelos procedimentos, pela arbitragem, pelos métodos de jogo, pela tática ou estratégia, e pode dizer respeito tanto a pesquisadores de um laboratório quanto a jogadores de futebol ou rúgbi ou a ciclistas do Tour de France. Esse tipo de DNA determinará a maneira como a equipe vai reagir quando se confrontar com um competidor submetido às mesmas regras do jogo. Dependerão dele, também, as condições econômicas do espetáculo nos estádios ou no ambiente natural, assim como a remuneração dos jogadores ou, ainda, a penalização nos casos de trapaça ou doping.

Essas são as múltiplas formas de DNA (país, cidade, empresa, marca, equipe) que permitem que uma organização se distinga da outra. Da mesma forma, o DNA de um ser vivo faz dele um ser único e distinto de todos os outros indivíduos do mundo.

DA EPIGENÉTICA À EPIMEMÉTICA

Seguindo o mesmo princípio da analogia genes/memes, genética/memética, vou explicar agora a relação que estabeleço entre epigenética e epimemética.

Como disse antes, entendo por epimemética a modificação da expressão de memes do DNA social pelo comportamento das pessoas em uma sociedade, uma empresa ou em qualquer forma de organização humana. Estudos confirmam a extrema rapidez de transmissão de memes que intervêm na manipulação de ideias em uma escala massiva. Gavin Brown, estudante no Berglund Center for Internet Studies [Centro Berglund de Estudos sobre a Internet], nos Estados

Unidos, mostra em um estudo admirável que as redes sociais e os memes são sistematicamente utilizados pelos propagandistas islâmicos e pelos arautos de organizações supremacistas brancas para influenciar os internautas.[12] A transmissão de memes (sob a forma de textos, vídeos, músicas etc.) traz a cada dia, infelizmente, a prova de sua eficácia.

Vimos, no campo da epigenética, a importância desta espécie de interruptores químicos, os RNAs não codificantes, que circulam no organismo como um todo modificando a expressão ou a inibição de certos genes. Parece que a mesma lógica se aplica ao campo epimemético. Existem informações codificantes, como aquelas presentes no DNA social, isto é, nos estatutos, constituições, cartilhas de valores e regulamentos internos de associações. Acredito que existam igualmente formas de transmissão de informação *não codificantes*, por exemplo, os rumores,[13] o diz que diz, o burburinho, a desinformação, as *fake news*, as teorias da conspiração, a retransmissão pela televisão de manifestações de rua que incitam a violência, vídeos de atentados ou

---

12. BROWN, Gavin. Web culture: using memes to spread and manipulate ideas on a massive scale interface. *Journal of Education, Community and Values*, Forest Grove, v. 13, 5 out. 2013. Disponível em: <http://commons.pacificu.edu/inter13/9/>. Acesso em: 9 abr. 2019.

13. BAUMEISTER, Roy F.; ZHANG, Liqing; VOHS, Kathleen D. Gossip as cultural learning. *Review of General Psychology*, Washington, v. 8, n. 2, p. 111-121, jun. 2004.

que mostram a comoção durante cerimônias em memória das vítimas etc.

Esses mecanismos de modificação epimemética do DNA social intervirão mais rápida e massivamente quanto mais forem estimuladas as funções primordiais de reatividade dos seres humanos, tais como a indignação e o medo, às quais eu acrescentaria o instinto de violência e de morte, o dinheiro, o ceticismo, o deboche sistemático e a dúvida. Essas emoções humanas, suscitadas individual ou coletivamente por uma informação, uma decisão ou uma tomada de posição, intervêm de maneira incontestável na epimemética.

A INFLUÊNCIA DOS "MEMES DE INTERNET" E DOS TUÍTES DISRUPTIVOS

Entre os modos rápidos de propagação de memes, é preciso citar os meios de comunicação modernos, tais como a televisão, a imprensa, o cinema e as redes sociais. Certas condições de recepção amplificam a reprodução e a transmissão de memes, particularmente no campo das emoções psicossociais, como constata o filósofo e ex-ministro da Educação da França Luc Ferry, em uma crônica publicada no jornal *Figaro*: "As democracias [...] favorecem quatro sentimentos poderosos que irradiam por toda a população: a raiva, o ciúme, o medo e, por fim [...], a indignação. Como as paixões são as mais fáceis e mais universais, e como mobilizam tanto a 'França de baixo', como a 'de cima', elas são o primeiro e principal combustível das audiências".[14] Todas essas emoções são também catalisadores de mudanças sociais. Muitos eleitores, logo antes da votação, ficaram tão impressionados por conta de programas ou reportagens vistos na televisão – mostrando, por exemplo, violência contra pessoas idosas ou crianças – que decidiram mudar seus votos.

A influência dos inúmeros memes propagados pelas redes sociais se explica também pela "sabotagem cultural" (*culture jamming*).[15] Baseando-se em sua própria experiência, Jonah Peretti, sociólogo do MIT e cofundador do Huffington Post, observou que de fato as trocas de e-mails, posts ou comentários desempenhavam um papel considerável na propagação de memes.

Esse ponto de vista é comprovado pelo burburinho que "viralizou" em todo o mundo após a troca de mensagens de Peretti com a Nike em 2001, quando ele ainda era estudante. Por meio do site da empresa, Peretti havia proposto escrever a palavra *sweatshop*[16] em um par de tênis personalizado, o que evidentemente

---

14. FERRY, Luc. L'indignation, premier carburant de l'audimat. *Le Figaro*, Paris, 30 jan. 2013. Disponível em: <http://www.lefigaro.fr/mon-figaro/2013/01/30/10001-20130130ARTFIG00557-l-indignation-premier-carburant-de-l-audimat.php>. Acesso em: 9 abr. 2019.

15. *Culture jamming*, que pode ser traduzido como sabotagem (ou desvio) cultural, é o ato de subverter, a partir de dentro, o funcionamento de um meio de comunicação de massa existente, usando o mesmo método de comunicação utilizado por esse meio.

16. Termo em inglês que designa a loja ou fábrica que explora os funcionários. (N.T.)

foi recusado pela Nike. Após ter o pedido negado, ele enviou uma carta de reclamação (é bom lembrar que o LinkedIn foi criado em 2001, o Facebook, em 2002 e o Twitter, em 2005). Com que direito haviam negado seu pedido, já que a Nike oferecia a opção de "personalização" de seus modelos? Os clientes têm liberdade de criar seus slogans. A resposta negativa da Nike não se tornou letra morta, se assim posso dizer. Ela circulou entre os (muitos) amigos de Peretti, que a divulgaram em suas próprias redes (veja o relato dele em vídeo).[17] O caso tomou proporções inesperadas quando Peretti foi convidado para ir à televisão debater o assunto com um diretor da marca. Esse estudo de caso ilustra perfeitamente a forma como cada um pode contribuir para fabricar ou veicular um "meme" positivo ou negativo.

É preciso notar que, com a difusão das redes sociais, o "meme de internet" – se podemos nos permitir esse desvio do termo original criado por Dawkins – irrompeu na blogosfera. Todo mundo se lembra do irritante clipe "Gangnam style", do sul-coreano Psy, um fenômeno em 2012.[18]

---

17. INC. *How BuzzFeed Founder Jonah Peretti Learned to Make Things Go Viral*. 2016. Disponível em: <https://www.youtube.com/watch?v=vBQa4lUE5f4>. Acesso em: 9 abr. 2019.

18. HOW the "Gangnam Style" Video Became a Global Pandemic. *Technologyreview.com*, 2017. Disponível em: <https://www.technologyreview.com/s/608341/how-the-gangnam-style-video--became-a-global-pandemic/>. Acesso em: 9 abr. 2019.

O *MEDIA VIRUS*, UMA ARMA DE DISRUPÇÃO EM MASSA

Entre os propagadores de memes, não esqueçamos os *media virus*. Esse termo foi criado pelo conferencista e militante *open source* (pelos softwares livres) americano Douglas Rushkoff, que publicou um livro sobre o assunto. Em geral, os tuítes provocadores ou agressivos do presidente Donald Trump enquadram-se nessa categoria. Uma ferramenta poderosa de transmissão de memes em escala mundial é utilizada pela primeira vez por um presidente dos Estados Unidos. Pode-se dizer, então, que nasceu uma nova forma de ação política, a partir do uso sistemático de mensagens curtas no Twitter.

Essa outra categoria de "memes de internet" é difundida, amplificada, deformada (parodiada) ou reproduzida tal qual, sem ser filtrada ou comentada por jornalistas, que deveriam supostamente garantir uma mediação objetiva e necessária em um contexto de "pós-verdade" ou mesmo de desinformação. Nas mãos do presidente Trump ou de outras personalidades muito influentes, um tuíte de 140 ou 280 caracteres pode desacreditar uma pessoa, uma instituição ou a política de um país. É dessa maneira que ele se torna, acredito, uma "arma de disrupção em massa" (ADM). Para Rushkoff, Trump é, ele próprio, um *media virus*: "Donald Trump é um *media virus*, e somos aqueles que contribuem para disseminá-lo".[19] Essa nova arma cria, evidentemente, as condições de modificações epimeméticas do DNA social. Ela tem o poder de alterar leis ou tomar decisões cruciais assim que a pressão midiática, institucional, política ou cidadã interfere. Retornarei ao assunto mais adiante.

A CULPA É DOS "NEURÔNIOS-ESPELHO"

Como oferecer um contraponto ao poder dos indivíduos ou de organizações que procuram influenciar na modificação do DNA social por meio da epimemética? Esses fenômenos sociais são ligados, em grande parte, à evolução do ecossistema digital e das atividades humanas nas redes sociais, como já vimos. Coloca-se então a questão das reações dos cidadãos e do contrapoder, da verdadeira democracia cidadã participativa.

Com a difusão das redes sociais e o desenvolvimento do ecossistema digital, a duplicação e a transmissão de memes na cultura de uma sociedade são cada vez mais eficazes e rápidas, a ponto de se parecerem, em casos extremos, com uma transmissão viral, uma verdadeira epidemia. Os boatos ou os "fatos alternativos" se propagam em tempo recorde. Na era da pós-verdade, as estatísticas mostram que as contraverdades,

---

19. RUSHKOFF, Douglas. Donald Trump is a media virus, but we're the ones spreading him. *DigitalTrends.com*, 2016. Disponível em: <https://www.digitaltrends.com/opinion/why-donald-trump-is-a-media-virus/>. Acesso em: 9 abr. 2019.

ou mesmo as mentiras descaradas, marteladas nas redes sociais e na blogosfera, acabam sendo recebidas como verdades. Sobretudo quando aqueles que as retransmitem confiam naqueles que as emitem (instituições, personalidades midiáticas ou políticas, jornalistas...). Como Oscar Wilde gostava de dizer: "A verdade raramente é pura e nunca é simples".

A título de anedota, a própria expressão "pós-verdade" se espalhou com uma velocidade gigantesca em alguns meses, o que lhe valeu o título de "palavra do ano de 2016" pelo Dicionário Oxford, que a define como um vocábulo "que faz referência a circunstâncias nas quais os fatos objetivos possuem menos influência para modelar a opinião pública do que o apelo à emoção e às opiniões pessoais".

A transmissão de memes por intermédio das redes sociais – Twitter, Facebook e outros meios de comunicação instantânea – garante uma forma de reprodução e armazenamento, ao mesmo tempo que desempenha o papel de ressonância e de amplificação. Por que usuários tão diferentes uns dos outros repetem essas mensagens, copiam certas frases, imitam determinados comportamentos ou até mesmo algumas ações violentas?

Uma categoria de neurônios, identificada no córtex em 1996 por Giacomo Rizzolatti (médico e biólogo, diretor do Departamento de Neurociência da Faculdade de Medicina de Parma) e Corrado Sinigaglia (professor de filosofia da ciência na Universidade de

Milão), encoraja essa propensão a propagar as notícias mais excitantes ou chocantes. Os cientistas italianos os batizaram de "neurônios-espelho".[20] Quando um ser humano (ou um animal) olha para um congênere que desempenha determinada ação, as mesmas zonas do cérebro se ativam, como se ele próprio estivesse agindo. Essa grande descoberta provocou uma reviravolta na neurociência, na neurologia, na comunicação e até mesmo na filosofia.

O sistema espelho das emoções permite simular no cérebro o estado emocional de um interlocutor e, assim, identificar as emoções sentidas pelas pessoas do ambiente. Favorece a compreensão da relação com o outro e até mesmo um melhor conhecimento deste, graças à intersubjetividade, à partilha dos desejos e das repulsas, que é a base da empatia.

O neurologista Vilaynur Ramachandran, professor da Universidade de San Diego, na Califórnia, fala em "neurônios empáticos" ou "neurônios-Gandhi", em referência à compaixão do célebre Mahatma. Assim, a captura, pelo smartphone, de acontecimentos que ocorrem nas vias públicas, principalmente a violência policial ou os crimes comuns, seguida da transmissão de vídeos pelas redes sociais, ampliam a catálise

---

20. RIZZOLATTI, Giacomo; SINIGAGLIA, Corrado. *So quel che fai:* il cervello che agisce e i neuroni specchio [Sei o que você faz – O cérebro que age e os neurônios-espelho]. Milão: Raffaello Cortina Editore, 2005.

memética e a circulação de memes. Basta um desencadeador (uma imagem, por exemplo) difundido em *loop* pelas redes sociais ou pelos canais de informação 24 horas para que as populações ganhem as ruas, decididas a confrontar a polícia ou os serviços de segurança.

Durante a última campanha presidencial francesa, alguns memes (como as expressões *cabinet noir*[21] e "risco de guerra civil") foram largamente citados e analisados pela mídia, assegurando-lhes uma grande (e temerária) audiência. Isso se torna uma prática corrente, e os reflexos "miméticos" levam alguns políticos a inserir em seus discursos ou entrevistas diferentes "elementos de linguagem" para fazer com que se tornem virais. São memes virais, portanto, que vão permitir a propagação de uma ideia ou reação no mundo midiático e nas redes sociais por meio da amplificação dos comentários e das reações negativas que eles suscitam, mais facilmente memorizáveis em massa. Trata-se de uma prática de custo mínimo para atingir rápida e amplamente as populações. Antes do surgimento da internet e das redes sociais, os meios de comunicação divulgavam slogans de políticos. Hoje, tuítes produzem grandes efeitos, o que justifica qualificá-los como armas de dirupção em massa.

---

21. Expressão que, na origem, designa o serviço secreto monárquico encarregado de censurar o correio. Mais recentemente, refere-se ao uso político de escutas telefônicas e documentos secretos pelo Estado. (N.T.)

COMO LUTAR CONTRA OS MEMES TÓXICOS

Assim como as células cancerosas escapam à imunidade natural do corpo, que deveria destruí-las, a imunidade natural dos grupos sociais tem dificuldade de destruir os memes indesejáveis, que se desenvolvem ao se amplificarem uns aos outros por meio de transmissão viral. A partir do momento em que há uma chance de as informações suscitarem controvérsia, e, portanto, de aumentarem a audiência e as tiragens em papel ao apelarem para a emoção e a indignação, as mídias, sempre em busca de um burburinho, apoderam-se delas. Assim, os títulos apelativos que desfilam nos canais de informação são utilizados para reter a atenção do público. O suspense, a controvérsia e o drama exibem seu folhetim com o objetivo de manter a expectativa de quem está assistindo. Entrecortado por mensagens publicitárias, o ciclo se regenera continuamente, com o reforço de furos, transmissões ao vivo e outras *breaking news*. A transmissão desses memes estimula a desinformação, o deboche, o ataque pessoal, os protestos públicos – ou seja, toda ação suscetível de desencadear emoções e reações coletivas violentas envolvendo instituições ou pessoas.

Existem também, felizmente, fenômenos de inibição da transmissão de memes culturais ou sociais. Nesse caso também podemos fazer uma analogia com a biologia. Assim como vírus e bactérias são destruídos pelo sistema imunológico, a sociedade pode produzir informações capazes de desintegrar memes mentirosos que circulam nas redes sociais. Ela pode fabricar, de alguma forma, anticorpos digitais aptos a inibir ou bloquear a transmissão de alguns memes. Os Estados e os serviços de informação sabem perfeitamente como fazê-lo. Certas técnicas (censura, filtragem de informações...) foram comprovadas durante a Guerra Fria. Mas o século XXI exige que sejamos um pouco mais criativos.

A contrainformação permanece, no entanto, uma excelente maneira de fazer com que um meme se volte contra si mesmo. Como se viu na véspera do segundo turno das eleições presidenciais francesas de 2017, quando jovens especialistas do mundo digital e das redes sociais, membros da equipe de campanha de Emmanuel Macron, deram provas de maestria na arte da "guerra digital". Enquanto uma *fake news* anunciava que o candidato havia aberto uma conta nas Bahamas, eles conseguiram, em um tempo curtíssimo (das 23 horas às 5 horas da manhã seguinte) identificar o autor desse boato, um tal de Jack Posobiec, militante americano de ultradireita, contumaz disseminador de falsas notícias no Twitter e frequentemente retuitado por Donald Trump. Eles o desmascararam, entregaram-no à grande imprensa e demonstraram como as redes francesas de extrema-direita haviam propagado essas informações falsas, a ponto de utilizá-las durante o último debate entre os candidatos do segundo turno. Graças a um excelente conhecimento das redes digitais mundiais e dos métodos de difusão de memes, a amplificação dessa *fake news* pôde ser interrompida.

Essa ilustração de uma aplicação bem-sucedida dos mecanismos de "imunidade digital" demonstra que a transmissão rápida de memes pode levar a uma modificação do comportamento daquelas e daqueles que os recebem. Assim, constata-se que as ações dos usuários de um sistema de comunicação, os cidadãos de um país, os membros de lobbies, os grupos terroristas, os influenciadores, os sistemas de informação, podem provocar uma modificação do DNA social ou do DNA de uma organização complexa (empresa, governo etc.). Mais uma vez, não se trata de uma modificação do próprio código genético, à imagem de uma mudança nas letras químicas que constituem o código do DNA, mas de ações que consistem em acionar, desligar ou reduzir a expressão de certos genes – particularmente aqueles que controlam as proteínas e as enzimas, agindo de forma crítica no funcionamento metabólico das células e do corpo. É por isso que proponho a ideia de que a epimemética representa a modulação da expressão de memes do DNA social por meio de indivíduos interconectados em um sistema social. Essas modificações do DNA social, evidentemente, terão consequências na governança e na democracia, como veremos a seguir.

CAPÍTULO 7

Uma governança cidadã é possível?

Nas redes sociais, até mesmo os excluídos do sistema têm a possibilidade de se dirigir "com igualdade" a dirigentes políticos e econômicos para fazer valer seus direitos. A internet seria, então, a ferramenta ideal para uma democracia participativa, convidando qualquer cidadão a intervir, conforme sua vontade, no debate público.

No entanto, a expressão da democracia é uma moeda de duas faces. De um lado, as reivindicações legítimas e as causas importantes; do outro, os rumores, os boatos, as fofocas e as conversas de botequim. A democracia participativa é perturbada por essas informações que circulam em massa na blogosfera. Em meu ensaio *Surfer la vie*,[1] eu já evocava essa faca de dois gumes representada pelo comportamento dos atores do ecossistema digital (os internautas e os monopólios digitais como GAFAMA). Com efeito, os usuários das redes sociais agem frequentemente a título pessoal, sob pressão de seus próprios interesses, pelo individualismo, voyeurismo ou exibicionismo.

Nas relações em grupo, quer se trate de grupos humanos tradicionais ou daqueles constituídos nas redes sociais, inúmeros atores estão em busca de um líder que os inspire, que os motive, ou mesmo que os guie e associe a uma ação coletiva para um objetivo bem definido. Todos esses movimentos modificam de maneira epimemética o DNA da internet e seus memes mais funcionais e recopiados? Parece que sim, pois milhões de internautas reorientam suas ações, suas criações, suas ligações, seus registros, seus contatos, seus amigos e seus blogs em função de uma consideração pessoal ou do "burburinho" do momento.

Como, nesses casos, agir coletivamente em rede em nome do interesse geral? Como produzir efeitos no médio ou no longo prazo? Como espalhar valores positivos para confederar os indivíduos, reforçar a coesão entre as pessoas, motivá-las a agir saindo de suas

---

1. ROSNAY, Joël de. *Surfer la vie*. Comment sur-vivre dans la société fluide [Surfar a vida: como sobreviver na sociedade fluida]. Paris: LLL, 2012.

amarras egocêntricas? No contexto desses novos modos de ação coletiva cidadã, quem controla a epimemética?

EM DIREÇÃO A UM GOLPE DE ESTADO (CIDADÃO) PERMANENTE?

Nas páginas precedentes, expliquei que a epigenética era o resultado da modulação da expressão dos genes em função de nossos comportamentos cotidianos e que, por analogia, a epimemética era a modificação da expressão de memes do DNA social decorrente dos comportamentos cotidianos dos seres humanos dentro de uma organização (cidadãos de uma sociedade, funcionários de uma empresa, membros de um clube, jogadores de uma equipe etc.). Assim, modificações epimeméticas podem se espalhar na sociedade graças às redes de comunicação tradicionais e digitais.

As redes sociais favorecem, evidentemente, esse fenômeno, permitindo que qualquer um se exprima na blogosfera. Os internautas se habituaram a reagir à menor declaração e/ou ação dos dirigentes políticos ou econômicos e de formadores de opinião provenientes de todos os horizontes. Os mais experimentados nesse exercício compreenderam perfeitamente como utilizar rápida e massivamente esses novos meios de expressão para alertar ou mobilizar pessoas em relação a uma situação em particular. Arregimentar um grande número de indivíduos em torno de uma causa dependerá do trabalho de reflexão e sensibilização realizado previamente por esses "agitadores" ou motores da mudança: opositores, criadores de projetos inovadores, ideólogos – o nome que eles recebem é uma questão de ponto de vista. Para além da tomada de consciência coletiva, a influência dos líderes dependerá evidentemente do seu *savoir-faire* para promover ideias e soluções.

Alguns exemplos de "aliança cidadã" bem-sucedidos mostram que é possível mobilizar milhares de pessoas, ou mesmo milhões, em torno de graves problemas da sociedade. É conhecido o escândalo, denunciado por associações de defesa dos pacientes, do superfaturamento de medicamentos anticancerígenos comercializados por três gigantes da indústria farmacêutica: a francesa Roche, a americana Pfizer e a sul-africana Aspen.[2] A mobilização compensou, e as associações obtiveram ganho de causa.

A internet, que pertence a todo mundo, é um "bem comum" que une bilhões de pessoas em escala planetária. Transformando modelos, práticas e modos de governo, as redes sociais e a internet das coisas (a infraestrutura global capaz de conectar bairros, cidades, regiões e continentes em um sistema nervoso mundial aberto, distribuído e colaborativo) oferecem a qualquer um, em qualquer lugar e quando bem entender,

---

2.AFRIQUE du Sud: polémique sur la surfacturation de médicaments. *RFI.fr*, 2017. Disponível em: <http://www.rfi.fr/afrique/20170614-afrique-sud-polemique-surfacturation-medicaments-roche-pfizer-apsen>. Acesso em: 9 abr. 2019.

a possibilidade de acessar o Big Data. As tecnologias digitais renovam o gosto pelo *commoning* (o ato de tornar algo comunal), aquele direito ancestral dos habitantes de utilizar os bens comuns para satisfazer suas necessidades fundamentais. Elinor Ostrom, Nobel de Economia em 2009, passou a vida documentando as práticas de *commoning*. Os anglo-saxões falam também em *collaborative commons* (comunais colaborativos). Com efeito, todos são livres para criar e utilizar novos aplicativos que permitem dar um sentido à sua vida no cotidiano por meio de um controle melhor de si mesmo. Todos são livres para se conectar à comunidade mundial de "prossumidores", realizando trocas em P2P (de igual para igual, de pessoa para pessoa), sem intermediários, já que somos todos ao mesmo tempo consumidores e produtores de objetos, serviços, aplicativos etc. Todos também são livres para se juntar a uma comunidade que partilhe dos mesmos centros de interesse, dos mesmos projetos ou dos mesmos objetivos. Pode se tratar de grupos de pressão, de movimentos cidadãos ou de iniciativas coletivas diversas.

Pode-se pensar, por exemplo, na experiência do SoundCity. Esse aplicativo individual e colaborativo para smartphone, desenvolvido pelo Inria, Institut National de Recherche en Informatique et en Automatique [Instituto Nacional de Pesquisa em Informática e em Automática], e pelo município de Paris em 2015, tem por objetivo medir a poluição sonora no 18º *arrondissement* envolvendo os moradores. A partir dos ruídos captados pelos smartphones de voluntários, o SoundCity cartografa e mede o nível de exposição sonora da população. Os moradores podem consultar sua exposição minuto a minuto, hora a hora ou dia a dia ao longo dos meses precedentes. As informações (recolhidas de forma anônima) contribuíram para melhorar a cartografia da poluição sonora em Paris. A experiência deve se estender a outras grandes cidades para lutar contra o barulho, no contexto de uma política pública de saúde.

A mobilização da sociedade civil nas causas penais é também uma boa ilustração. Pensa-se aqui sobretudo no caso muito midiatizado de Jacqueline Sauvage, que se tornou símbolo da causa das mulheres vítimas de violência. Condenada a dez anos de prisão pelo assassinato do marido violento, a sexagenária teve a pena anulada pelo presidente François Hollande em 2016. Apoiada por personalidades do meio artístico e da política, a Solidarité Femmes [Solidariedade Mulheres], uma rede de associações mobilizadas contra todo tipo de violência feita à mulher, instrumentalizou o caso com grande eficácia e reclamou uma evolução da lei sobre a violência conjugal. A secretária de Estado encarregada da ajuda às vítimas, Juliette Méadel, inclusive agradeceu ao presidente da República pelo Twitter por esse "perdão presidencial com discernimento".

Esse tipo de procedimento é utilizado cada vez mais frequentemente para influenciar decisões políticas ou judiciais, e alguns não hesitam em qualificá-lo de tentativa de "golpe de Estado cidadão". A petição publicada na plataforma Change.org pedindo a libertação de Jacqueline Sauvage colheu mais de 400 mil assinaturas.

As petições on-line, justamente, representam um contrapoder interessante, mas que permanece limitado, em relação aos meios da política tradicional, quando não é orquestrado dentro de um plano de ação global. Assim, as 600 mil assinaturas da petição lançada por iniciativa da jornalista Élise Lucet ("Cash Investigation"), ligada ao sigilo de negócios, não tiveram peso sobre os deputados europeus, que adotaram, em uma comissão, um texto convocando a luta contra a espionagem industrial.

Mais recentemente, a indignação suscitada pelas atitudes do produtor americano Harvey Weinstein, e pelo assédio sexual em geral, incitou milhares de mulheres a dar seus testemunhos no Twitter usando a hashtag #MeToo. Um tsunami que demonstrou a influência considerável da mobilização da sociedade civil e do feedback cidadão, revelando, ao mesmo tempo, o surgimento de um novo risco, o de uma "justiça pelas redes sociais", em que culpados são denunciados sem presunção de inocência nem julgamento prévio pelas autoridades competentes. Esses acontecimentos e as decisões que se seguiram a eles – como novas leis contra violências sexuais e assédio nas ruas – representam mais uma ilustração do impacto epimemético da emoção compartilhada e de sua influência na modificação do DNA social.

A *CIBVERSÃO*, UMA MURALHA CONTRA OS GIGANTES DA INTERNET?

Cada um de nós pode, assim, participar da construção dessa proteção cidadã, contanto que as ações sejam combinadas. Seria interessante conduzir um grande trabalho de pesquisa para confirmar ou contestar a modificação epimemética no DNA da internet. Com efeito, utilizando as redes sociais como um verdadeiro contrapoder e orientando nossos comportamentos em direção ao mesmo objetivo, tomamos parte em uma "corregulação cidadã participativa". Essa é a base de um verdadeiro "governo cidadão" e uma real oportunidade para que o indivíduo avalie as ações das personalidades que representam a sociedade ou agem em seu nome, sejam elas eleitas ou não democraticamente. Se esse tipo de organização não protege com total segurança das "recuperações" ou das instrumentalizações por movimentos políticos ou por poderes centralizados ou totalitários (como vimos acontecer com os "Indignados" e as diversas "Primaveras"), o uso inteligente das redes sociais e da televisão, aliado aos *ciberativistas* e aos manifestantes de rua, já mostrou que ela poderia dobrar os regimes menos permissivos. Além disso, somente uma abordagem "subversiva" utilizando as ferramentas mundiais do mundo digital é capaz de revitalizar a democracia, com uma arma particularmente eficaz, ao alcance da sociedade civil, agindo para lutar contra os poderes totalitários e os monopólios digitais, uma arma que batizei de *cibversão*.

A corregulação cidadã participativa deve se basear nas mesmas ferramentas digitais empregadas pelos monopólios digitais (GAFAMA) ou pelos regimes totalitários, ferramentas de *cibversão* ou de *ciberboicote* que têm como nome Twitter, Facebook, blogs, sites, WhatsApp, Skype, Youtube, Facetime, Instagram ou Snapchat. Alguns deles foram utilizados em denúncias contra os monopólios gigantes e as práticas totalitárias, mas também contra políticos ou jornalistas corruptos, ou ainda para boicotar empresas petrolíferas poluidoras. Vemos cada vez mais tuítes ou redes de poder na internet colocarem em xeque situações e práticas inaceitáveis ou atentados contra os direitos humanos. Isso ainda não é suficientemente poderoso para lutar contra os lobbies mundiais ou contra o poder piramidal das ditaduras ou de regimes totalitários, mas já é uma prova de que podemos ir com tudo a fim de barrar tais poderes antidemocráticos.

É difícil pôr em funcionamento os mecanismos de decisão coletiva, e esse é o caso da avaliação coletiva das decisões tomadas por um número importante de indivíduos. É claro que a corregulação cidadã participativa pode intervir em casos urgentes, graças às redes sociais. No entanto, por razões de segurança ou por conta das emoções que movem as pessoas, individualmente, a reagir, isso vai além da harmonização do funcionamento de estruturas coletivas: é uma questão de modificação da expressão do DNA social por mecanismos epimeméticos.

Gostaria de voltar a duas questões fundamentais para o futuro de nossa sociedade, ou mesmo da humanidade: como a corregulação cidadã poderia modificar internamente o código genético, o DNA da internet? Será que ela pode criar mutações na própria estrutura do código genético desse DNA social?

Em escala mundial, há forças lutando para conquistar internamente esse ecossistema digital planetário, a fim de controlar suas principais engrenagens. As armas preferidas dos donos do mundo digital (GAFAMA, como sempre) são a inteligência artificial, os robôs e a *deep learning*. Eles experimentam uma forma de "engenharia genética" no DNA da internet – na verdade, no ecossistema digital – na qual cada um de nós é uma célula, um neurônio interconectado a todos os outros. Mas acontece frequentemente de os interesses de alguns se oporem aos interesses de outros. É nesse contexto que a corregulação cidadã deve mostrar sua eficácia e zelar pelo respeito ao interesse geral. A maioria dos cidadãos ainda não se deu conta desse poder coletivo. No entanto, só depende de cada um de nós agir de forma combinada para levar a cabo essa missão essencial. Por todas essas razões, devemos erigir uma muralha para nos protegermos contra a dominação dos grandes monopólios digitais na internet.

COMO MODIFICAR O DNA SOCIAL "DISRUPTANDO" A POLÍTICA?

Sabe-se que as pesquisas de opinião desempenham um papel decisivo no campo sociopolítico. Sua influência sobre as intenções de voto não precisa mais ser demonstrada, uma vez que esse fenômeno já foi objeto de vários estudos psicossociológicos.[3] Mas como os novos ingressantes na política conseguem "disruptar" um sistema que parecia definitivo? As equipes de campanha do movimento En Marche [Em marcha] foram inspiradas por técnicas que fizeram a força do ex-presidente Barack Obama: o espírito de startup, associado a uma concepção revolucionária do porta a porta graças ao "Big Data", permitindo que se mirasse melhor nos eleitores, mas também possibilitando campanhas bem administradas nos meios de comunicação, além de uma utilização eficaz de mensagens instantâneas e das redes sociais digitais. Um misto de inovação, agilidade, pesquisas de campo, escuta do cliente/cidadão, empreendedorismo, gosto pelo risco, trabalho em equipe, efeito de rede e desintermediação aplicado com sucesso pelos novos atores da economia digital. Tudo isso sem se esquecer de fazer as pessoas sonharem com objetivos

---

3. Cf. PORTELLI, Hugues; SUEUR, Jean-Pierre. *Rapport d'information*. Paris: Sénat, 2010. 72 p. Ver também GINSBERG, Benjamin. Polling and the Transformation of Public Opinion. In: _____. The Captive Public: How Mass Opinion Promotes State Power. Nova York: Basic Books, 1986, p. 183-198.

e valores com os quais os clientes/cidadãos podem facilmente se identificar.

No entanto, mais frequentemente os cidadãos se reúnem em torno de valores negativos, sobretudo no contexto de referendos, um meio potente de disrupção de políticas alternativas. Assim, na participação de referendos, os politólogos distinguem o voto de *contestação* e o voto de *convicção*. Nesses momentos cruciais, o sentimento individual de poder agir radicalmente na evolução política de um país influenciará fortemente o voto. A perspectiva do voto contestatório é tentadora. Aqueles que pensam que podem influenciar individualmente o curso da História serão menos resistentes se as pesquisas sugerirem que "o jogo está ganho". Isso pode explicar por que as consultas públicas sob forma de voto binário, "sim" ou "não", frequentemente reservam alguma surpresa. Nesse tipo de escrutínio, os eleitores tendem a responder a uma questão mais abrangente do que aquela que foi apresentada e aproveitam para exprimir seu descontentamento geral. Eles esperam (com razão, nesse caso) "disruptar" a política proposta e mudar a História.

POR QUE AS OPINIÕES NEGATIVAS PARECEM MAIS INTELIGENTES?

É espantoso como retemos melhor as participações ou justificativas fundamentadas em argumentos negativos ou contestatórios do que as que se apoiam em argumentos positivos ou até mesmo otimistas. As estatísticas demonstram que as reações a um artigo publicado em um jornal on-line, blog ou site de uma empresa ou de uma associação são geralmente negativas ou de natureza contestatória. O que chamamos de *trolls* e, de maneira geral, os comentadores anônimos, expressam mais frequentemente sentimentos, análises, opiniões negativos ou contraditórios. Um fenômeno que os psicossociólogos associam a uma necessidade de "existir" em relação aos outros.

Cria-se uma espécie de círculo vicioso, e instala-se um mal-estar social quando os *trolls*, os extremistas e os *haters* poluem as redes. Sem falar nos *bots*, aqueles robôs-programas que poderíamos comparar com traças, tal é a forma como se incrustam cada vez mais nas discussões na rede, particularmente no Twitter. Uma pequena e rápida pesquisa permite revelar essas contas (de marcas, de *haters* profissionais, de profissionais da manipulação etc.) exibindo dezenas de milhares de seguidores e usando *bots* como arma de desinformação. Pesquisas mais aprofundadas, realizadas por serviços americanos de informação, demonstraram a influência de tais práticas, em especial durante as eleições presidenciais, por parte de hackers ucranianos ou russos que foram claramente identificados.

Isso significa que o Twitter é feito somente de palavras ao vento? Talvez não, mas é certo que sua influência mereceria ser relativizada ao tomarmos consciência desta realidade: 48 milhões dos cerca de 300 milhões de contas do Twitter seriam de autômatos cujo único objetivo é manipular a opinião. É o que revelam dois estudos recentes, um britânico e outro americano.[4]

Seja como for, é preciso constatar que os comentários críticos ou negativos são repercutidos muito mais rapidamente pelos jornalistas e pelas personalidades políticas do que as opiniões, decisões ou comentários positivos ou construtivos. O psicólogo Clifford Nass, professor de comunicação na Universidade de Stanford,[5] realizou diversos estudos com uma população de telespectadores, leitores de jornais e internautas. As pessoas ou personalidades políticas que emitem opiniões ou comentários negativos ou contraditórios parecem em geral "mais inteligentes" que aquelas que se exprimem

---

4. VAROL, Onur et al. Online human-bot interactions: detection, estimation, and characterization. In: ICWSM, 11, 2017, Montreal. *Proceedings...*, Montreal: AAAI, 2017. Disponível em: <https://arxiv.org/abs/1703.03107>. Acesso em: 9 abr. 2019. E o projeto coletivo OXFORD INTERNET INSTITUTE. *The computational propaganda project*. Oxford, 2017. Disponível em: <https://comprop.oii.ox.ac.uk/research/working-papers/computational-propaganda-worldwide-executive-summary/>. Acesso em: 9 abr. 2019.

5. NASS, Clifford; YEN, Corina. *The man who lied to his laptop*: what we can learn about ourselves from our machines [O homem que mentia para o computador: o que podemos aprender sobre nós mesmos com as nossas máquinas]. Nova York: Current, 2012. Ver também TURGEND, Alina. Praise is fleeting but brickbats we recall. *The New York Times*, Nova York, 23 mar. 2012. Disponível em: <https://www.nytimes.com/2012/03/24/your-money/why-people-remember-negative-events-more-than-positive-ones.html>. Acesso em: 9 abr. 2019.

de maneira positiva ou otimista. As reações positivas são frequentemente assimiladas pelo público (pelos meios de comunicação) como abordagens ingênuas, para não dizer algo como "Ursinhos Carinhosos". Daí as inúmeras críticas recebidas pelo livro de Steven Pinker, já citado aqui, da parte dos profissionais da mídia.[6]

A estratégia de comunicação dos jornais em regime de fluxo contínuo se baseia no princípio da "novidade", das *breaking news*, da controvérsia, do debate, da contradição, do suspense, das notícias dramáticas...[7] As mídias em geral encorajam o interesse quase obsessivo de certo público pelo espetáculo e pelo drama, com os quais são acusadas regularmente de inundar as massas, incitando a curiosidade maléfica inerente – em graus diversos – à natureza humana. Como me dizia com lucidez o saudoso Jean Boissonnat (morto em setembro de 2016): "Um grande jornalista econômico, cujo nome não citarei, prefere afirmar que uma declaração política ou um projeto não vai funcionar porque, se funcionar, vão esquecer sua afirmação, enquanto, no caso contrário, todo mundo vai se lembrar de sua análise crítica negativa. Ele passa assim por um analista visionário e competente".

---

6. PINKER, Steven. *Os anjos bons da nossa natureza*: por que a violência diminuiu. Tradução de Bernardo Joffly e Laura Teixeira Motta. São Paulo: Companhia das Letras, 2017.

7. O ideal para essas mídias é a evolução ao vivo da opinião pública graças aos institutos de pesquisa associados a entrevistas, encontros e tuítes.

De onde vem, então, essa fascinação pelas catástrofes e por tantas outras notícias ruins? Seríamos todos mórbidos ou tanatófilos, tentados pela pulsão de morte?

O MEDO, UM MECANISMO ÚTIL PARA A SOBREVIVÊNCIA DA ESPÉCIE

Se os canais de informação em tempo real são conhecidos por difundir, sem interrupção, as notícias mais angustiantes, a imprensa escrita também recorre regularmente a artifícios para "enganchar" o público. Da mesma maneira, os acontecimentos mais sórdidos são espalhados nas redes sociais em tempo recorde para milhões de assinantes no mundo todo. Se não estivéssemos também ávidos por informações chocantes, os meios de comunicação cessariam imediatamente essa dupla aposta permanente. A audiência é o comandante...

Em um artigo que publiquei no site de notícias AgoraVox em 2005, eu já me perguntava sobre a "sociedade da encenação do medo".[8] Uma expressão emprestada de Michel Serres, que não hesita em falar em "audiência da morte"! O filósofo observou, com efeito, que as novas catástrofes dominavam sistematicamente os primeiros vinte minutos dos jornais de rádio e televisão. No início dos anos 1970, o canadense

---

8. ROSNAY, Joël de. Vers une société de mise en scène de la peur?. *AgoraVox.com*, 2005. Disponível em: <https://www.agoravox.fr/actualites/medias/article/vers-une-societe-de-mise-en-scene-4199>. Acesso em: 9 abr. 2019.

Marshall MacLuhan (1911-1980), eminente sociólogo das mídias, percebeu que as boas notícias não eram notícias, no sentido midiático do termo: *Good news is no news*. Uma expressão da qual se apropriou o bilionário e magnata da mídia Ted Turner, fundador da rede americana CNN.

Podemos criticar essa fraqueza de alguns de nossos semelhantes, mas também podemos tentar entender suas raízes profundas ou até mesmo quase doentias. Nós nos lembramos de que, segundo a teoria da evolução, tudo o que favorece a sobrevivência e a reprodução é reforçado e ao mesmo tempo transmitido de uma geração a outra. Os mecanismos biológicos da seleção darwinista nos ensinaram que os seres vivos (humanos, animais e plantas) que se lembram das más experiências e da maneira de escapar de todo tipo de perigo (catástrofes naturais, predadores, acidentes da vida ou de percurso...) aumentam suas chances de viver por mais tempo. Somente os mais adaptados terão tempo de procriar, de assegurar o desenvolvimento de sua família e, consequentemente, de contribuir para garantir a sobrevivência da espécie. Nessas condições, não é surpreendente que os fatos positivos, mesmo quando repercutem no público, sejam esquecidos tão rapidamente. Menos úteis para a sobrevivência da espécie, eles são menos memorizados. Contrariamente aos grandes pavores, mesmo que suscitem momentos de emoção às vezes intensos e lembranças organizadoras, eles não causam nenhum traumatismo na memória coletiva.

O relato de um drama que atinge um semelhante do outro lado do mundo nos toca sinceramente porque aquele ser é outro de *nós mesmos*. Seu sofrimento e sua morte, que poderiam ser os nossos, nos atingem como um chicote. As imagens e os relatos de sobreviventes de atentados cometidos em nosso território pelo Estado Islâmico, assim como aqueles perpetrados em outras partes do mundo, mortificaram profundamente os cidadãos franceses, mesmo quando não conheciam as vítimas. Como vimos, os "neurônios-espelho" do cérebro, envolvidos na aprendizagem por imitação dos processos afetivos, fazem de nós seres empáticos. Viver em empatia com seus semelhantes, ou até mesmo com outras espécies, representa, evidentemente, uma vantagem. Portanto, preocupar-se com os outros é uma vantagem adaptativa e coevolutiva que contribui para a sobrevivência da espécie.

Se saber evitar as situações potencialmente perigosas ou sair delas é útil à criação coletiva, é preciso, apesar de tudo, aceitar alguns riscos. Levados ao extremo, esse apetite pelas más notícias e o medo que ele gera poderiam nos paralisar, limitar nossas ações, nos fazer ver só o lado obscuro das coisas; resumindo, nos daria a impressão desencorajadora de não dominarmos nosso destino. É, aliás, por conta da pressão dos medos coletivos que as mais altas instâncias introduziram o famoso "princípio de precaução" na Constituição francesa. Um princípio que, se aplicado muito sistematicamente, corre o risco de aniquilar a criatividade e, além disso, todo desejo de futuro. Assim, o futuro não seria mais um campo de possibilidades, mas uma *terra incognita* dominada pelo medo do desconhecido, pelo medo de ter medo... Não me canso de repetir que a dose faz o veneno, para citar Paracelso, e de dizer que tudo, neste mundo, é questão de equilíbrio.

Paradoxalmente, e de maneira contrária às ideias preconcebidas, as inúmeras experiências realizadas por laboratórios de psicossociologia ao redor do mundo tendem a demonstrar que é o público que "programa" os meios de comunicação e que os leva a difundir más notícias em vez de boas notícias. Segundo os pesquisadores, nosso cérebro não somente é "programado para a sobrevivência" (mais do que para a felicidade), mas contém um "viés negativo" (*negative brain bias*).[9] Após um episódio de estresse, de uma emoção que sentimos como reação às más notícias e à produção decorrente de hormônios (adrenalina, cortisol...), esse viés negativo contribuiria para reforçar nosso sistema de memorização.

---

9. MARANO, Hara Estroff. Our brain's negative bias: why our brains are more highly attuned to negative news. *PsychologyToday.com*, 2003. Disponível em: < https://www.psychologytoday.com/ca/articles/200306/our-brains-negative-bias>. Acesso em: 9 abr. 2019.

"O CÉREBRO FUNCIONA COMO VELCRO COM O MAL E COMO TEFLON COM O BEM"

Como vimos, sobretudo ao citarmos Luc Ferry, a memória é influenciada pelo conteúdo emocional dos acontecimentos. Associamos automaticamente um risco *à memória de um único exemplo traumatizante*, sem levar em conta o contexto geral. Sabemos que os acontecimentos negativos criam um traumatismo no cérebro, enquanto os acontecimentos positivos ativam os circuitos de recompensa, que produzirão os hormônios do prazer e da felicidade – endorfinas, oxitocina, dopamina e serotonina.

As más notícias provocam estresse, e o aumento do cortisol e da adrenalina é um efeito secundário. Mas o estresse produz ao menos um efeito positivo: ele reforça a memória. Devemos essa capacidade de memorizar coisas negativas à ativação de circuitos cerebrais especializados no controle das emoções. Lembremos que se trata sobretudo de uma região do lobo temporal interno chamada amígdala, que se encontra logo na frente do hipocampo, uma zona do cérebro que desempenha um papel fundamental na memória. Em reação a situações de medo ou de ameaça, objetivas ou subjetivas, o cérebro vai secretar hormônios de estresse e neurotransmissores. Estes últimos vão acelerar os batimentos cardíacos e a circulação sanguínea, o que provoca reações fisiológicas de fuga, luta ou inibição de uma ação.

As sondagens de opinião realizadas pelas redações dos jornais televisivos indicam que os indivíduos retêm melhor, em geral, os acontecimentos dramáticos, as catástrofes, os atentados terroristas, os tsunamis, os incêndios... Sua memória fica marcada pelos acontecimentos mais chocantes. Para Ray Williams, autor do blog Wired for Success (Conectado para vencer), "o cérebro funciona como velcro com o mal e como teflon com o bem".[10] Essas conclusões são validadas pelas pesquisas de Roy Baumeister e Ellen Bratslavsky, que deduzem: "Buscamos constantemente informações negativas para reagir, depois armazenamos essas reações na estrutura do cérebro. Por exemplo, aprendemos mais rapidamente a dor do que o prazer, e as interações negativas têm mais impacto".[11]

OUSEMOS PENSAR POSITIVO!

Correndo o risco de chocar, acredito que tenhamos observado o que acontece hoje como uma anomalia, ou até mesmo uma perversão, sob o ângulo errado. Em vez de tirar proveito dessa "particularidade", nós a estudamos de um ponto de vista ao mesmo tempo simplista e hipócrita (condenando voyeurs, fatalistas e abutres) e

---

10. WILLIAMS, Ray. Are we hardwired to be positive or negative? *PsychologyToday.com*, 2014. Disponível em: < https://www.psychologytoday.com/intl/blog/wired-success/201406/are-we-hardwired-to-be-positive-or-negative>. Acesso em: 9 abr. 2019.
11. BAUMEISTER, Ray; BRATSLAVSKY, Ellen. Bad is stronger than good. *Review of General Psychology*, Washington, v. 5, n. 4, p. 323-370, dez. 2001. Disponível em: <http://assets.csom.umn.edu/assets/71516.pdf>. Acesso em: 9 abr. 2019.

combatente (otimistas contra pessimistas, ingênuos contra cínicos; enfim, os imbecis felizes contra os realistas). Seria melhor, para tirarmos verdadeiros ensinamentos da situação, apreendê-la sob um ângulo utilitarista. Uma vez que o medo é útil, sejamos pragmáticos.

Existem soluções. Por exemplo, poderíamos organizar uma "corregulação cidadã da informação" a fim de *ciberboicotar* os vídeos de decapitação difundidos nas redes sociais pelo Estado Islâmico para alimentar os medos. Milhões de pessoas no mundo enfrentam guerras e outros dramas atrozes no cotidiano. Quando essas imagens nos conscientizam da destruição causada pela violência em lugares não tão longínquos, de repente acreditamos estar a salvo em nosso país... Mas isso é esquecer rapidamente que a paz também é a vontade das populações.

Como poderíamos viver em paz com a ideia de que as desgraças só acontecem com os outros, se nós nos alimentamos dessa ideia para nos tranquilizarmos em relação a nossas próprias chances de sobrevivência? Estranhamente, quanto mais o mundo parece à beira do caos, mais acreditamos em nossas chances de melhorar e, portanto, de sermos os atores de uma mudança positiva. Talvez o poeta e filósofo alemão Friedrich Hölderlin (1770-1843) tivesse razão: "Lá onde está seu maior perigo, está também sua salvação". O pensamento positivo não é a negação da realidade nem o exagero dos fatos positivos. É colocar as informações em perspectiva, o que permite restabelecer o equilíbrio entre percepção e realidade, entre fatos negativos e positivos – ou, como diz Yuval Noah Harari, entre as "narrativas" que contamos a nós mesmos sobre o mundo e a realidade.[12] Esse dispositivo de regulação cidadã permitiria, com toda a imparcialidade, ponderar, ou seja, levar em conta as contingências e se lembrar de que, segundo a teoria das probabilidades, os fatos e acontecimentos negativos são a exceção, não a regra.

Se os cidadãos mostrarem o exemplo, e se partirmos do princípio de que é o público que incita os jornalistas a alimentar sua curiosidade pouco saudável por más notícias, talvez os meios de comunicação aceitem, eles também, desempenhar o papel de reguladores. Melhor do que nos fecharmos em uma visão maniqueísta (otimismo contra pessimismo), ganharemos ao demonstrar um pouco de audácia.

Ousemos ter um pensamento positivo, construtivo, pragmático e realista, para incitarmos o desejo de construir juntos o futuro e ajudarmos as gerações mais jovens a encontrar o entusiasmo da criação e da partilha. É mais do que um desejo, é um dever. Ao intervir de maneira positiva e construtiva para mudar situações prejudiciais à criatividade, à iniciativa e às liberdades individuais, os cidadãos podem contribuir para modificar coletivamente o DNA social. Vejamos como.

---

12. HARARI, Yuval Noah. *Homo Deus*: uma breve história do amanhã. Tradução de Paulo Geiger. São Paulo: Companhias das Letras, 2016.

CAPÍTULO 8

Modificando coletivamente a expressão do DNA social

As redes sociais são alimentadas e animadas principalmente pelas gerações nascidas com a internet. Essa jovem população entendeu bem que detém um verdadeiro poder: o de se organizar coletivamente. No entanto, com a multiplicação de pontos de vista contraditórios expressos na rede, a elaboração de uma posição comum não é uma tarefa simples. É por isso que falamos em democracia participativa. A participação, a gestão coletiva, implicando a responsabilização e a cooperação cidadãs, representam, de fato, o meio de modificar o funcionamento ou as estruturas de uma organização social.

Para desenvolver essa afirmação, vou considerar duas abordagens complementares: a abordagem estrutural e as ações individuais em um ecossistema digital que colocam as redes sociais em funcionamento.

Encontraremos adiante as noções de interdependência e de cooperação – os processos e mecanismos típicos da epimemética descritos anteriormente. Parece-me que os movimentos coletivos e as cooperativas, por natureza, dão mais poder aos atores internos de um sistema ou de uma organização complexa para modificar a expressão do DNA social. Eles oferecem aos cidadãos a possibilidade de serem atores reconhecidos no contexto de uma democracia participativa organizada e desejada pelos dirigentes.

Estamos habituados a uma abordagem herdada que postula uma visão geométrica da sociedade. Segundo essa visão, o poder é exercido por um pequeno número de tomadores de decisões, colocados no topo da pirâmide após terem ocorrido eleições ou então uma cooptação ou sucessão. Ora, a mudança epimemética está em curso. Ela transforma essa visão geométrica das organizações. Surgem novas estruturas cooperativas, tais como as conferências cidadãs, a gestão colaborativa dos bens comuns ou a participação dos administrados na gestão de suas cidades.

O exemplo da economia social e solidária (ESS) ilustra essa transformação.

A economia social e solidária: o ganho social certeiro em prática

Na França, o setor pouco conhecido da ESS apresenta excelentes resultados, ao mesmo tempo que dinamiza a economia colaborativa. Uma economia da transformação e da inovação que faz sentido, a ESS agrupa mais de 200 mil empresas, entre associações, grupos mutualistas, cooperativas e fundações. Presente em todos os setores de atividade, essa economia alternativa representa 10% do PIB francês, com mais de 12% dos empregos do setor privado [...]. Segundo as estatísticas de emprego publicadas pela Recherche & Solidarité em junho de 2015, as forças de trabalho mais importantes se encontram nos campos da ação social, das atividades financeiras e de seguros, do ensino e da saúde.

Em seu dispositivo, as ESS comportam as Scop (sociedades cooperativas e participativas), que permitem que os assalariados relancem sua empresa sob a forma de cooperativa e que possuem uma taxa de perenidade impressionante [...]. A lei ESS de julho de 2014 lembra que esse modelo alternativo não tem como objetivo principal o lucro a qualquer preço. Trata-se de uma "sociedade com fins lucrativos limitados", de certa forma, que repousa em um modo de governança democrática, convidando todos os funcionários a participar de decisões e escolhas estratégicas.

[...] Agentes da inovação social e do desenvolvimento sustentável, as Scop, negligenciadas durante muito tempo pelos economistas, provaram sua eficácia. Baseadas no princípio da equidade, elas revertem ao menos 33% dos benefícios (sob a forma de dividendos) aos sócios e ao menos 25% aos assalariados (que detêm pelo menos 51% do capital), 16% sendo direcionados às "reservas indivisíveis" que alimentam os fundos da sociedade cooperativa.

Entre as grandes empresas cooperativas que são bons exemplos, citemos: BPCE, Caisse d'Épargne, CASDEN, Crédit Agricole, Crédit Coopératif, Crédit Mutuel, E. Leclerc, Limagrain, Système U, o grupo Up [...]. Primeiro negócio de seu setor a ser avaliado pela responsabilidade social, o grupo Up destaca orgulhosamente em seu site que "é possível vencer economicamente e ao mesmo tempo empreender de maneira diferente".

A economia social e solidária representa de 10% a 65% dos empregos nos seis principais setores de serviços: saúde, educação, esportes e lazer, atividades financeiras e serviços sociais. O sucesso de algumas sociedades da ESS explica sua presença, às vezes dominante, em setores muito diversos. Com mais de 14 mil estabelecimentos cooperativos e mais de 5 mil estabelecimentos mutualistas, os setores de bancos e de seguros são importantes agentes da economia social e da vida dos territórios, uma vantagem aos olhos dos consumidores. Os bancos "mutualistas" se diferenciam dos clássicos porque buscam investir prioritariamente em projetos de vocação cidadã, ao mesmo tempo que prometem transparência, ética, democracia e presença em todo o território [...]. Estes deveriam possibilitar uma compensação dos excessos de um capitalismo desenfreado, que engendra uma grande pobreza e um isolamento dos territórios rurais.

É importante notar que, dos 60 milhões de contas na França, 65% são abertas nos bancos mutualistas, presentes nas zonas mais longínquas do "Hexágono". Em 2014, contavam-se 91 bancos mutualistas entre os 258 bancos autorizados pela Autorité de Controle Prudentiel et de Résolution[1] [Autoridade de Controle Prudencial e de Resolução].[2*] As quatro principais redes mutualistas (Crédit Agricole, Banque Populaire, Caisse d'Épargne e Crédit Mutuel) geraram, sozinhas, 54 bilhões de euros, o que representa 25% do financiamento bancário da economia.

O MODELO COOPERATIVO: A GARANTIA DE UMA SOCIEDADE MAIS HARMONIOSA, RESPONSÁVEL E ÉTICA

Como fazer com que os interesses de todos se afinem? O sistema cooperativo é uma resposta possível: ele preserva

---

1. D'ABBUNDO, Antoine. Les banques mutualistes jouent la carte de la différence. *La Croix*, Paris, 15 fev. 2016. Disponível em: < https://www.la-croix.com/Economie/Economie-et-entreprises/Les-banques-mutualistes-jouent-carte-difference-2016-02-15-1200740097>. Acesso em: 9 abr. 2019.

2*. Autoridade responsável pela regulação dos bancos na França, com ação similar à do Banco Central no Brasil. (N.T.)

o interesse geral e os valores sociais, já que o consumidor pode ser, ao mesmo tempo, membro da cooperativa e coproprietário (acionário) da empresa, ou então assalariado. A empresa cooperativa não é cotada na Bolsa. Ela não sofre, portanto, nenhuma pressão por parte dos acionistas. Além disso, por conta da não remuneração (ou da remuneração limitada) do capital, seus benefícios não distribuídos em dividendos são "indivisíveis". Os benefícios (ou reservas) não são propriedade de ninguém em particular; são revertidos igualitariamente a todos. Eles alimentam os fundos próprios da empresa e contribuem, assim, para sua perenidade.

Por deterem uma parte do capital da empresa, os cooperados-acionários se sentem muito mais envolvidos em sua estratégia. Os membros da cooperativa são, de fato, ao mesmo tempo seus clientes e "sócios", coproprietários de sua organização bancária ou seguradora, e não "acionistas". De acordo com o princípio "1 homem = 1 voz", cada "sócio" do banco, detentor de partes sociais, é convidado a fazer-se ouvir nas assembleias gerais. É nesse sentido que cada um é capaz de modificar o DNA da empresa. Todas as categorias socioprofissionais são representadas: professores, pequenos e grandes empresários, artesãos, comerciantes, agricultores etc. As noções de justiça e poder compartilhado, democrático, fazem, desse modo, todo o sentido.

Esse tipo de organização é uma resposta à preocupação em reintegrar a humanidade e a democracia nas empresas e na sociedade. É a resposta humanista à mundialização da economia de mercado fundamentada na busca do lucro, e às suas práticas por vezes predatórias.[3] É uma conscientização, também, dos benefícios da cooperação (da ação conjunta) em um mundo em que frequentemente é a competição que domina. Cooperar e confiar, em vez de dominar, ainda é um comportamento pouco habitual. Como mudar as mentalidades e fazer com que os indivíduos (funcionários, consumidores, acionistas...) e as estruturas de todo tipo (empresas, organismos internacionais, partidos políticos, nações, Estados...) compreendam que é essencial privilegiar essa lógica?

Quando as relações não são mais baseadas na dominação ou em um capitalismo desenfreado, quando a ética se torna a componente essencial da cultura de uma empresa, é mais fácil fazer convergir os interesses de todos. Ao optarem pela igualdade e pela cooperação, pela transparência e pela partilha equânime dos frutos do trabalho, e ao fornecerem o melhor produto ou serviço com o preço mais justo, as estruturas cooperativas representam uma alternativa às organizações piramidais, hierárquicas,

---

3. Benoît Hamon, então ministro encarregado da Economia Social e Solidária, apresentou ao Conselho de Ministros, em 24 jul. 2013, um projeto de lei que, segundo ele, poderia criar 100 mil empregos. KRAFT, Marie-Anne. Le modèle coopératif, une alternative au capitalisme et au socialisme d'Etat. *Blogs.mediapart.fr,* 2013. Disponível em: <https://blogs.mediapart.fr/marie-anne-kraft/blog/240713/le-modele-cooperatif-une-alternative-au-capitalisme-et-au-socialisme-detat>. Acesso em: 9 abr. 2019.

que por sua vez estimulam as relações de dominação, a competição e o exercício do poder solitário.

É o caso das cooperativas agrícolas, que possibilitam aos profissionais partilhar os meios de produção comuns à sua profissão. Da mesma forma, as Amap (Associations pour le Maintien d'une Agriculture Paysanne) [Associações para a Manutenção da Agricultura Camponesa] prestam um serviço importante ao colocarem em contato um produtor e um grupo de consumidores. Juntos, eles entram em acordo quanto à variedade, à quantidade e ao preço dos produtos entregues para a estação (frutas, legumes, ovos, leite, queijo, carne, entre outros), assim como quanto aos métodos agrônomos a serem empregados. A troca é equânime, já que o produtor cobre suas despesas de produção ao mesmo tempo que recebe uma renda decente, enquanto o consumidor se beneficia de produtos de excelente qualidade por um preço bastante razoável. É possível fazer compras em uma associação com ponto de venda no local, como em uma fazenda, e também em estabelecimentos parceiros. Totalmente avessas ao conceito de agricultura industrial, as Amap contribuem diretamente para a luta contra a poluição, além de privilegiar uma gestão responsável dos bens comunitários.

Em meu livro *Surfer la vie*,[4] eu já insistia nos benefícios do altruísmo, da empatia e da confiança a fim de

---

4. ROSNAY, Joël de. Surfer la vie. Comment sur-vivre dans la société fluide [Surfar a vida: como sobreviver na sociedade fluida]. Paris: LLL, 2012.

juntos contribuirmos para o surgimento de uma sociedade menos concentrada na captação de riquezas e de poderes e nas relações de força. Por todas essas razões, o modelo cooperativo representa uma das estruturas mais aptas a favorecer a modificação da expressão de um DNA social, seja de um país, seja de uma empresa, seja de uma associação.

A FRANÇA, LÍDER EM COOPERATIVAS E ESTABELECIMENTOS MUTUALISTAS

As organizações cooperativas ou mutualistas existem há muito tempo. A França é um dos líderes mundiais em organizações desse tipo. Este país detém o recorde do número de empresas cooperativas e participativas: 2.200 Scop empregam mais de 50 mil funcionários.[5] As 21 mil empresas cooperativas e seu 1 milhão de funcionários representam uma receita anual de 86 bilhões de euros. O "Hexágono" não está sozinho: a União Europeia contabiliza, também, 123 milhões de cooperados, e suas 160 mil cooperativas empregam 5,4 milhões de funcionários.[6]

---

5. GOVERNO DA FRANÇA. *L'économie sociale et solidaire*. Paris, 2017. Disponível em: <https://www.gouvernement.fr/action/l-economie-sociale-et-solidaire>. Acesso em: 9 abr. 2019.

6. WIKIPEDIA. *Wikipédia*: a enciclopédia livre, 2019. Apresenta artigos colaborativos. Disponível em: < https://pt.wikipedia.org/wiki/Wikip%C3%A9dia:P%C3%A1gina_principal>. Acesso em: 9 abr. 2019.

LES SCOP. Les-scop, 2019. Apresenta informações sobre as sociedades cooperativas francesas. Disponível em: < http://www.les-scop.coop/sites/fr/>. Acesso em: 9 abr. 2019.

Os anglo-saxões utilizam o termo *platform cooperativism* (cooperativismo de plataforma) para designar formas de estrutura cooperativa consideradas uma alternativa possível à uberização – todas as plataformas de relacionamento do tipo Uber. Essa empresa, que propõe o contato, sem intermediários, entre motoristas de carros e usuários do aplicativo, é acusada, além de concorrência desleal em relação aos táxis, de impor sua política tarifária autoritariamente a seus motoristas; nenhum deles contratado. A uberização consiste, em nome do direito à concorrência, em contornar as leis trabalhistas, o que leva a uma precarização dos empregados, privados de seus direitos sindicais e de proteção social.

A teoria do cooperativismo de plataforma baseia-se em dois princípios: a propriedade comunal e a governança democrática. Nas estruturas cooperativas, é o humano que está no centro do dispositivo, e não o dinheiro (o capital) ou o Estado, como lembra esta definição da Alliance Coopérative Internationale [Aliança Cooperativa Internacional]: "Uma cooperativa é uma associação autônoma de pessoas voluntariamente reunidas para satisfazer suas aspirações e necessidades econômicas, sociais e culturais comuns, por meio de uma empresa cuja propriedade é coletiva e na qual o poder é exercido democraticamente".

Segundo o quebequense André Martin, professor associado e diretor adjunto do Institut de Recherche et d'Éducation pour les Coopératives et les Mutuelles (Irecus) [Instituto de Pesquisa e Educação para Cooperativas e Estabelecimentos Mutualistas], o "movimento cooperativo é baseado em valores e princípios que são suas próprias condições de sucesso e das aspirações que ele deseja concretizar em âmbito econômico. Sua premissa de base é o respeito e a valorização do ser humano, como um ser de liberdade que leva à igualdade reconhecida entre os homens. Ele promove a autodeterminação e o senso de responsabilidade, indispensáveis para que os cooperados possam assumir suas tarefas como empreendedores. Também exige a solidariedade (uma ação comum com uma finalidade comum) e a equanimidade (a noção de justiça nas trocas, na distribuição de bens e na percepção de lucros). A cooperativa é, então, uma associação de pessoas regida por um poder democrático de seus membros, que são coproprietários de sua empresa".[7]

UM MODELO HUMANISTA

Como indicam essas definições, o movimento cooperativo, bem distante do princípio de uberização, oferece

---

7. Ver: INSTITUT DE RECHERCHE ET D'ÉDUCATION POUR LAS COOPÉRATIVES ET LES MUTUELLES DE L'UNIVERSITÉ DE SHERBROOKE. *IRECUS*, 2019. Apresenta informações sobre o instituto de pesquisa. Disponível em: <http://irecus.recherche.usherbrooke.ca>. Acesso em: 9 abr. 2019. André Martin também é professor associado da Faculdade de Administração do Département de Management et Ressources Humaines [Departamento de Administração e Recursos Humanos] da Universidade de Sherbrooke.

um lugar central ao humano. Não é exagero afirmar que o sucesso desse modelo depende, em grande parte, da capacidade de valorizar e mobilizar os homens (cooperados coproprietários da empresa e usuários) em torno de um objetivo comum. O espírito de solidariedade e de responsabilidade, o respeito ao interesse geral e o exercício de um poder democrático também contribuem para isso. Sentir-se respeitado e reconhecido como um agente essencial ao sucesso de um projeto coletivo gera, naturalmente, efeitos positivos. Os cooperados se dizem mais envolvidos, mais responsáveis e atentos em relação aos outros e mais preocupados com os interesses de todos. Eles são capazes de "autodeterminação", para citarmos o termo usado por André Martin.

Em seu notável ensaio *Philosophie de la coopération* [Filosofia da cooperação], ele lembra as origens, os valores e os princípios das empresas cooperativas: "As empresas cooperativas são organizações econômicas e sociais originais. Nasceram e se desenvolveram na primeira metade do século XIX, período de grande miséria entre os operários, causada em grande parte pelo capitalismo organizado. Constituíram-se sob a pressão do socialismo associacionista e, em alguns casos, sob a impulsão do cristianismo que descobria suas responsabilidades sociais".[8]

---

8. ROBERGE, Alexandre. André Martin ou la philosophie de la coopération. *Cursus.edu*, 2010. Disponível em: <https://cursus.edu/articles/4228/andre-martin-ou-la-philosophie-de-la-cooperation#.XK3f8lVKi70>. Acesso em: 9 abr. 2019.

Nem todos os franceses estão necessariamente conscientes disso, mas, na medida em que as estruturas cooperativas e mutualistas fazem parte do DNA da França, seu sistema favorece a governança cidadã. Esse terreno naturalmente fértil para a epimemética social não escapou ao prospectivista americano Jeremy Rifkin, que evoca essa "vantagem adaptativa" da França em seu livro militante pela "sociedade do custo marginal zero" e das comunidades colaborativas.[9]

UM MUNDO MENOS BASEADO NA COMPETIÇÃO: UMA ASPIRAÇÃO DOS *MILLENNIALS*

Os *millennials* (jovens que tinham 10 anos em 2000, nascidos com a internet) são adeptos da economia da partilha. Eles parecem os mais dispostos a conduzir essa "revolução". Essa população ultraconectada tem o hábito de cooperar nas redes sociais. Ela declara aspirar a um mundo menos baseado na competição e quer que as mentalidades evoluam, transformando a ordem estabelecida. Para eles, partilhar muitas coisas por quase nada (a um custo marginal zero, isto é, quase nulo), no mundo inteiro, é um objetivo primordial.

---

9. RIFKIN, Jeremy. *Sociedade com custo marginal zero*. Tradução de Monica Rosemberg. São Paulo: M. Books, 2015. Ver também: Les Di@logues stratégiques. *Les Di@logues stratégiques*. Apresenta discussões sobre a sociedade. Disponível em: <http://www.lesdialoguesstrategiques.com>. Acesso em: 9 abr. 2019.

Assim, esses ecocidadãos vendem, alugam ou trocam, por meio de plataformas colaborativas, energia própria produzida por eles mesmos, objetos em 3D, cursos on-line, diversos objetos e serviços da vida cotidiana, mas também casas, comida, tempo... Utilizam moedas alternativas (bitcoin) ou locais que também estão fazendo cada vez mais sucesso. Para eles, "um outro mundo é possível", segundo a expressão consagrada. Um mundo no qual o consumidor obteria o melhor produto/serviço pelo melhor preço, e o assalariado, um salário justo em troca de seus esforços, ao mesmo tempo que dá sentido à sua ação. Um mundo mais colaborativo e interconectado, no qual a prioridade seria o acesso a um objeto ou a um serviço, em vez da propriedade e das relações de poder. Uma utopia realizável?[10] Em todo caso, aplicável à cidade e à sua administração.

QUANDO A *SMART CITY* POSSIBILITA QUE OS HABITANTES MODIFIQUEM COLETIVAMENTE O DNA SOCIAL DE SUA CIDADE

O modelo cooperativo também é interessante por ser aplicável a muitos campos da vida em sociedade: econômico ou associativo, serviços públicos, bancos e finanças, mídia, formação e educação, transportes, agricultura... As associações de bairro ou de vizinhos,

---

10. BREGMAN, Ruter. *Utopia para realistas:* como construir um mundo melhor. Tradução de Leila Couceiro. Rio de Janeiro: Sextante, 2018.

as creches cooperativas, as plataformas de trocas de bens e serviços ou de disponibilização (de carros, bicicletas, equipamentos, roupas, espaços, faxina, reforço escolar, cursos de línguas, bricolagem, cuidados com crianças...) se desenvolvem espontaneamente, assim como a *ecopartilha*, que se insere em uma preocupação com a transição ecológica, ao mesmo tempo que participa do dinamismo econômico. Citemos, entre outros, aplicativos e sites como BlaBlaCar, que oferece caronas, Zazcar, para aluguel de carros, Yellow e Grin, ambos para aluguel de bicicletas e *scooters* elétricas.

Mas que formas de consulta podem ser estabelecidas para que os cidadãos consigam apreender melhor os objetivos e aquilo que está em jogo em um projeto que envolve toda a comunidade? A participação cidadã (ou democracia participativa) pode, sobretudo, se exprimir localmente. Ela envolve os cidadãos nos processos decisórios que terão impactos importantes na vida cotidiana. É o que a cidade conectada, a *smart city* (cidade inteligente) imaginou, pondo os habitantes-usuários no centro das reflexões sobre uma cidade mais humana e sustentável.

Seja em relação à densidade populacional, à organização dos espaços, à regulação dos fluxos de circulação, à otimização de recursos ou do consumo de energia, à redução da poluição atmosférica, ao acesso à educação, aos transportes e aos serviços, à saúde, às interações sociais e às relações entre as comunidades, esse "urbanismo participativo" permite estudar, juntamente com a população, todas as soluções possíveis para se resolverem problemas ou se minimizarem os impactos negativos de uma ação.

Como comentei em meus livros anteriores (sobretudo em *Le Macroscope* e em *O homem simbiótico*), as cidades são sistemas "auto-organizados", e a cidade do futuro será uma cidade "conectada". Ela se apoiará nas tecnologias do ecossistema digital e em ambientes inteligentes. Consequentemente, é preciso pensar a cidade como um organismo vivo, que consome recursos, evolui e se adapta.

A smart city utiliza objetos conectados e o Big Data para desenvolver e aperfeiçoar a análise de dados recolhidos (fluxo de circulação, uso dos transportes públicos, picos de poluição, uso de vagas de estacionamento, atendimento hospitalar, picos de consumo de energia, interações sociais...) com o objetivo de conduzir da forma mais inteligente possível os serviços públicos (educação, saúde, segurança, transportes, água, energia, meios de comunicação, vida cultural etc.). Cada habitante é um agente importante da administração local e deve, assim, ser estimulado a participar, a se exprimir, a propor ideias ou a decidir quanto às ações coletivas. Toda uma inteligência coletiva nascerá dessa descentralização do poder cidadão. Ao terem impactos visíveis na cidade, as ações e decisões dos habitantes-usuários contribuirão para modificar seu DNA social.

COMO A EPIGENÉTICA E A EPIMEMÉTICA PODEM APERFEIÇOAR AS POLÍTICAS DE SAÚDE

Os serviços públicos, assim como qualquer serviço relativo ao bem comum, ganhariam também se fossem organizados em cooperativas de forma a propor o melhor produto com o menor custo, no interesse de todos. Além das estruturas de tipo cooperativo e das plataformas associativas, é importante levar em consideração a ação individual, que se insere no ecossistema digital ou surge por intermédio das redes sociais. Os usuários conectados nas redes sociais têm um sentimento difuso de seu poder coletivo. Portanto, esse poder não é organizado conscientemente com vistas a instaurar relações de força com as estruturas da administração industrial ou política de um governo.

Tomemos o exemplo das associações de pacientes, que contribuem para modificar as políticas de saúde graças à participação epimemética cidadã. As tecnologias digitais representam uma ajuda preciosa para que cada um cuide de sua saúde. Os blogs, as redes sociais e outros espaços de medicina 3.0 transformaram nossos hábitos, assim como a relação entre pacientes, agentes da própria saúde, e médicos. Um número crescente de pacientes, mas também de médicos, conecta-se para buscar e trocar informações médicas. Somos agora "pacientes ampliados" e, por essa razão, chamados a desempenhar um papel mais importante nos cuidados com a saúde.

Estamos passando cada vez mais de uma medicina do tipo curativa para uma medicina do tipo preventiva, que estimula os indivíduos a tomarem consciência e cuidarem do seu corpo com métodos naturais (nutrição equilibrada, exercício, meditação, gestão do estresse...). As redes sociais oferecem a esses pacientes ampliados a possibilidade de trocarem experiências e "bons conselhos" sobre medicamentos, vitaminas ou suplementos alimentares.

Esses novos usos também comportam riscos, sobretudo com o desenvolvimento de uma *cibermedicina* baseada no autodiagnóstico. A falsificação é outro perigo: em alguns sites, os internautas correm o risco de comprar, inocentemente, produtos falsificados. Hoje, é preciso contar com as experiências partilhadas e os conselhos dados por internautas, médicos ou pacientes em sites especializados em saúde e em fóruns médicos.

É preciso contar também com os "pacientes especialistas". Esse termo designa um paciente que venceu a doença ou é acometido por uma enfermidade crônica. O paciente especialista não se submete à doença; ele é, antes de tudo, agente de sua saúde, e, como bom conhecedor de sua patologia, partilha com outros que sofrem do mesmo mal sua experiência com os tratamentos ou com os efeitos colaterais. Ele os acompanha e lhes oferece apoio para ajudá-los a viver com o problema. Na França, existe até mesmo uma formação universitária que fornece diplomas e é regulamentada pela lei Hospital, Paciente, Saúde e Território. É claro que um paciente especialista nunca substituirá os médicos, mas ele favorece o diálogo e a confiança entre os doentes e os profissionais da saúde. Ao participarem da concepção de programas de educação terapêutica em associações de pacientes, e também em hospitais, ao lado das equipes médicas, os pacientes especialistas intervêm como verdadeiros agentes do sistema de saúde.

Os médicos também recebem ajuda ou mesmo, dependendo do caso, sofrem a concorrência, em sua própria área, dos objetos conectados e dos sistemas especializados, que são máquinas que os substituem parcialmente, oferecendo análise de dados pessoais (pressão arterial, glicemia, colesterol, peso, distúrbios do sono, problemas cardiovasculares, perda de fôlego, fadiga, dores...). O Big Data entrou na relação médico-paciente: você é informado em tempo real do seu estado de saúde e, ao menor alerta, incitado a marcar uma consulta.

Esses dispositivos também põem em questão o equilíbrio financeiro do sistema de saúde como um todo, pois a medicina se torna cada vez mais preditiva. Já falamos aqui na "democratização" da decodificação do genoma. Graças a ela, bilhões de informações sobre sua saúde atual ou futura vão possibilitar o conhecimento de riscos de doenças genéticas ou de desenvolvimento de certas patologias, de acordo com o seu perfil genético, correlacionado à sua idade, ao seu peso e ao seu estilo de vida, e assim os tratamentos propostos poderão ser cada vez mais personalizados.

PARA NÃO PERDER O TREM DA SAÚDE 3.0

Até então, as políticas tradicionais de saúde recomendavam a consulta com um médico, que diagnosticava o paciente, baseando-se nos sintomas de uma eventual afecção, e em seguida prescrevia um tratamento. O paciente levava a receita médica à farmácia ou ao SUS para obter os medicamentos. No fim da cadeia, o laboratório colhia o lucro com a margem obtida entre o custo de produção de seu produto e o preço da venda na farmácia ou para o próprio SUS. Por outro lado, ele não se preocupava com o que ocorria com o paciente. Tanto fazia se ele tomasse corretamente os medicamentos ou parasse o tratamento após alguns dias. Salvo em caso de um escândalo sanitário grave, o laboratório também ignorava se o paciente havia sido vítima de efeitos colaterais que não tivessem sido detectados nos testes clínicos. Essa engrenagem bem azeitada não se interessava muito pela evolução do estado de saúde do paciente. O ecossistema digital virou essas práticas de ponta-cabeça. Hoje, na França, é possível fazer assinaturas para acompanhar e personalizar sua saúde.

As assinaturas são uma estratégia capital para os operadores de telecomunicações. A assinatura garante um pagamento regular e constitui uma renda para os editores de programas ou de licenças informáticas de empresas como a Microsoft. A indústria farmacêutica demorou para acordar, por exemplo, com a questão dos genéricos. Mas ainda há tempo para que ela pegue o trem do digital que está passando, graças à participação e ao feedback dos cidadãos.

Como substituir o modelo clássico, que funciona "inversamente", ou seja, da receita médica para o reembolso dos medicamentos e para os lucros da Big Pharma? Na verdade, nós já sabemos a resposta. Há alguns anos, assistimos ao nascimento de um novo sistema de saúde, que se tornou possível pela epigenética e pelos dispositivos de avaliação definidos no conceito de medicina 4P (personalizada, preventiva, participativa e preditiva). A epigenética abre o caminho para uma prevenção *quantificável*. Sim, hoje "podemos fazer algo por nós mesmos" para mantermos nossa saúde no melhor estado possível. Podemos também medir isso graças aos *trackers* e biocaptadores da e-saúde, o que se chama também de "saúde conectada".

Proponho que cada um se torne especialista em sua própria saúde graças a um programa que chamo de PMS, ou Programa de Manutenção da Saúde.[11] Bas-

---

11. ROSNAY, Joël de. Les défis de la santé de demain: vers le patient augmenté. *La Tribune*, Paris, 23 fev. 2016. Disponível em: <https://www.latribune.fr/opinions/tribunes/les-defis-de-la-sante-pour-demain-vers-le-patient-augmente-552732.html>. Acesso em: 9 abr. 2019.

ta que uma grande empresa farmacêutica se associe a uma seguradora para criar um serviço que chamo de "farma-seguro" personalizado.

O PMS, baseando-se no princípio de um contrato de seguro, permitiria a cada um se inscrever em um acompanhamento de saúde personalizado por meio de uma assinatura paga. Eis uma oportunidade estratégica importante para a grande indústria farmacêutica. Os laboratórios têm a possibilidade de se transformar em *operadores de saúde*. Mas ainda é preciso que eles se conscientizem do que está em jogo e se adaptem à revolução da "saúde conectada". Esse novo mercado oferece perspectivas de renda ao mesmo tempo que combina serviços e produtos curativos, preventivos, preditivos e participativos. A verdadeira revolução consistiria em propor mais acompanhamento e prevenção a fim de prescrever menos remédios, já que o dispositivo ajudaria a se conhecer melhor e a tomar medidas mais eficazes para a própria saúde.

Além dos impactos no sistema de saúde, não ignoro que uma transformação desse porte tenha também impactos consideráveis na indústria farmacêutica. No plano comercial, a *renda* substituiria a *margem* de lucro. Mas tornar-se operador de saúde, propondo programas multidimensionais de manutenção da saúde ao mesmo tempo preventivos e participativos, implica também que a indústria se aproxime do consumidor, ao que a epigenética pode contribuir.

Os programas de ajuda ao diagnóstico e de acompanhamento em domicílio já existem. Podemos citar o Cordiva, um dispositivo de acompanhamento e uma solução de e-saúde para pacientes com insuficiência cardíaca. Já testado por mais de 60 mil pacientes nos Estados Unidos e na Alemanha, o Cordiva fez diminuir a taxa de reospitalização em 28,3%. Na França, o programa Osicat, desenvolvido sob a direção do CHU, o Centre Hospitalier Universitaire [Centro Hospitalar Universitário] de Toulouse, e visando a aperfeiçoar o acompanhamento em ambulatório de quem sofre insuficiência cardíaca por meio da telecardiologia, poderia ser reembolsado pela seguridade médica social. O programa de acompanhamento em domicílio Santinel, desenvolvido pela Ipact, uma startup de Toulouse, permite reduzir a duração da hospitalização, ao mesmo tempo que acompanha os pacientes e suas doenças. Ele possibilita que a equipe médica saiba a evolução do estado de saúde do paciente e intervenha se necessário.

Como parte de uma parceria com o laboratório de pesquisa aberto e cidadão La Paillasse, o laboratório Roche desenvolveu, além da combinação de especialistas e amadores, o programa colaborativo Epidemium. O "Challenge4Cancer" propõe que equipes pluridisciplinares utilizem o Big Data e outros algoritmos de *machine learning* para "estimular o desenvolvimento de novas abordagens de cuidados com os pacientes, novas formas de prevenção ou novos tratamentos com vistas a estabelecer relações entre fatores como comportamento sexual, clima ou alimentação e o risco de câncer". Na medida do possível, trata-se também de prevenir a aparição da doença.

Essas novas oportunidades ocasionam, evidentemente, transformações na maneira de tratar pacientes e contribuem para modificar o DNA social do universo médico. O setor da saúde está vivendo uma verdadeira mudança de paradigma. É necessário compreender e gerenciar essas novas práticas epimeméticas se quisermos uma transição pertinente e equânime, respeitando as pessoas e as liberdades individuais. Tal evolução, alimentada pelos progressos da epigenética e da prevenção quantificável, precisa pôr em funcionamento novos modelos de saúde.

Essa transição de sistemas de saúde em que estamos envolvidos abrirá perspectivas positivas para todos. Devemos, contudo, ficar atentos: a desintermediação e a uberização dos sistemas de tratamentos, ou o risco de uma saúde com dois pesos e duas medidas, como temem alguns, são bastante reais. Tudo isso não acontecerá sem, é claro, a desestabilização da indústria farmacêutica e dos médicos tradicionais.

"QUE O SEU ALIMENTO SEJA O SEU REMÉDIO"

Um conhecimento melhor das expectativas das diferentes populações em termos de alimentação cotidiana também permitiria à indústria agroalimentar evoluir no sentido da produção e da distribuição de produtos benéficos à saúde.

Vimos que alguns alimentos desencadeiam mecanismos epigenéticos que podem ser avaliados pelos sistemas digitais da "saúde conectada" (ou e-saúde). Essa revolução já começou. O sucesso dos produtos orgânicos e a conscientização dos consumidores sobre a importância de se desenvolver uma sinergia entre produtos naturais consumidos regularmente são a prova disso. Como vimos, é possível, graças à alimentação, reduzir os riscos de doenças e retardar o envelhecimento. Tenhamos em mente esta recomendação de Hipócrates: "Que o seu alimento seja o seu remédio". De fato, o comportamento dos consumidores no campo da alimentação ilustra a possibilidade de modificação da expressão do DNA social e industrial.

"UMA MUDANÇA DA CONSCIÊNCIA COLETIVA"

As plataformas de relacionamento não baseadas em monopólio (cujas responsabilidade e propriedade são partilhadas pelos usuários), ou ainda a *blockchain*, representam outras formas de cooperativas digitais. Consequência da moeda bitcoin (criada em 2008), a *blockchain* repousa na transparência e na segurança das trocas, permitindo às duas partes (indivíduos ou empresas), que não necessariamente se conhecem, realizar transações com toda a confiança, sem intermediários e sem um órgão central de controle. Quer seja acessível ao público, quer seja acessível a uma rede privada, o sistema se apoia em uma base de dados partilhada, que contém todo o histórico das trocas. Isso permite que todos os usuários envolvidos verifiquem a validade de cada componente (ou bloco) da cadeia (daí o nome *blockchain*).

Os meios de comunicação também poderiam realizar sua transição. Com o objetivo de garantir uma maior independência editorial, nada os impede de criar uma cooperativa dentro da qual os acionistas-leitores-cooperados decidiriam a estratégia da empresa. Parece evidente que, se os consumidores de jornais (impressos ou on-line), rádios, canais de informação e outros suportes fossem também acionistas majoritários das mídias que frequentam, poderiam ter um peso importante nas escolhas estratégicas dos grupos de imprensa, em seus programas, sua publicidade ou sua política comercial. A independência dos grupos de informação seria assim garantida. Cada leitor teria o poder de modificar o DNA social de um jornal.

A mesma constatação vale para os partidos políticos. Se os militantes fossem membros de um partido organizado em movimento cooperativo, também eles poderiam servir aos interesses dos cidadãos, cooperando em alguns projetos em vez de competirem sistematicamente. Todos os projetos que visassem preservar o bem comum em nível continental, europeu ou até mesmo mundial poderiam aumentar suas chances de sucesso se fossem conduzidos dentro de estruturas cooperativas diretamente por seus membros.

De acordo com a mesma lógica, a Europa também poderia ganhar novo fôlego. E se os países-membros encorajassem a cooperação mais do que a competição, a mutualização mais do que um capitalismo ultraliberal? As abordagens mutualistas e cooperativas, suspeitas de alimentar a concorrência, não são estimuladas na União Europeia. Como lembra em seu blog Marie-Anne Kraft, autora do ensaio *La révolution humaniste* [A revolução humanista]:[12] "A Europa impediu fusões de empresas europeias que teriam se tornado preciosidades e até mesmo perdeu empresas, vendidas aos americanos e aos asiáticos (Péchiney-Alcan, Arcelor-Mittal, Alcatel-Lucent, por exemplo). Até mesmo a bolsa Life--Euronext se fundiu com a Nyse (New York Stock Exchange) americana em vez de fazê-lo com a Deutsche Börse (agora sob dominação americana)".

Se fossem estimuladas por uma política voluntarista na era da sociedade colaborativa, as organizações cooperativas e participativas poderiam entrar em uma nova dimensão.

---

12. KRAFT, Marie-Anne. *La révolution humaniste*. Paris: Salvator, 2011.

Conclusão

"Sim, podemos fazer algo por nós mesmos." Essa frase, dita repetidamente neste livro, coloca em primeiro plano nossa responsabilidade perante o nosso destino e o sentido que podemos pessoalmente dar à nossa vida. Temos apenas uma vida. Façamos com que ela seja original, sem copiar a das personalidades políticas, midiáticas, artísticas ou esportivas – aquilo a que aspiram com demasiada frequência, na falta de referências ou valores, os jovens desorientados.

Porém, para fazermos com que nossa vida seja original, não é somente necessário conhecer alguns princípios científicos básicos, como a epigenética; é preciso também ser capaz de recorrer a valores como o reconhecimento da diversidade, a partilha, a solidariedade, a generosidade, o altruísmo e a empatia, associados ao desejo de fazer bem aos que estão ao nosso redor. São os valores pregados há séculos pelas grandes religiões, os quais podemos promover, partilhar e concretizar – e sem necessariamente nos devotarmos a uma dessas fés –, favorecendo, assim, a cooperação humanista para construirmos um futuro desejável, em vez de nos submetermos a um futuro que nos seja imposto.

Com a expansão do ecossistema digital, das redes sociais e das ferramentas pessoais de interatividade com nosso ambiente inteligente, vemos surgir novos poderes dos cidadãos. Hoje só depende de nós aproveitarmos essa oportunidade e participarmos – por meio de ações cotidianas como a nutrição, o esporte, a gestão do estresse, o prazer de empreender ou de criar e estar em harmonia com as relações familiares ou profissionais – da modulação da expressão de nossos genes, para uma saúde melhor e para o retardamento do envelhecimento.

Como procurei demonstrar, os mecanismos de base da epigenética, ao possibilitarem agirmos na complexidade do nosso corpo, podem ser transpostos para a complexidade da sociedade na qual vivemos e trabalhamos. Com efeito, o DNA social é constituído por genes virtuais que chamamos de memes, genes culturais transmitidos por mimetismo graças aos meios de comunicação, aos comportamentos coletivos e à utilização de ferramentas digitais interativas.

Dos genes aos memes, da genética à memética, a epigenética, uma ciência "acima" da genética, pode estimular uma epimemética, uma ciência "acima" da memética, que estuda a transmissão dos memes na sociedade. Trata-se de novos poderes que os homens podem utilizar para transformar esta última. É a demonstração de que a ciência dos mecanismos físicos, biológicos e antropológicos fundamentais pode hoje influenciar na gestão e no planejamento das sociedades modernas.

Mas convém sermos prudentes na transferência de princípios e mecanismos biológicos para a sociedade. Vimos ocorrer muitos abusos em decorrência da utilização, em certos meios políticos, de princípios biológicos mal compreendidos, retomados em nome de uma ideologia com o intuito de criar diferenças entre as pessoas, justificar políticas de apartheid ou discriminação. A aplicação da epimemética na gestão de sistemas complexos como nossas cidades e nossas sociedades é, sobretudo, a adoção dos princípios da *sistêmica* sobre a qual se fundamenta a biologia, ou seja, a interdependência dos elementos, suas ligações em rede e a consideração das propriedades emergentes.

Parece cada vez mais necessário que as políticas se apoiem em ações científicas demonstradas para praticar o que Edgar Morin chama de "antropolítica" e que hoje poderíamos ampliar ao propor uma "epipolítica", por analogia com a epigenética e a epimemética, favorecendo a modulação da expressão e a modificação do DNA social.

Graças aos progressos científicos e tecnológicos, parece possível construirmos juntos uma sociedade almejada e um futuro desejável, em vez de continuarmos a ser determinados, ou até mesmo programados, por poderes políticos, religiosos ou industriais, ou então pelas receitas dadas por nosso médico e pelos remédios da indústria farmacêutica. Podemos "retomar o controle" e ser maestros do nosso próprio corpo para tocarmos a sinfonia da vida, levando em consideração os princípios fundamentais confirmados pela ciência, uma atitude que nos deixaria mais livres e, ao mesmo tempo, mais responsáveis, e que nos permitiria agir sobre o mundo em um sentido positivo e benéfico para a humanidade.

Evidentemente, não se trata de imaginar, como fazem alguns utopistas, um governo de sábios baseado nos princípios da biologia ou da epimemética, mas de demonstrar como os princípios científicos bem integrados podem mudar nossa vida e, mais amplamente, a evolução das sociedades humanas.

Estamos apenas no começo dessa empreitada fundamental e profunda que é a expressão de uma verdadeira democracia participativa em que cada um de nós possa influenciar o curso dos acontecimentos nos quais nossa própria vida se insere. Responsabilidade, liberdade e construção conjunta resultam na consideração de valores como o reconhecimento da diversidade e o respeito pelo outro.

Como qualquer político diria, para governar é preciso antecipar, construir juntos e permanecer unidos. Eu acrescentaria que é preciso também "regular", no sentido cibernético do termo, mais do que regulamentar. É justamente esse o papel da epigenética em relação ao nosso corpo e o da epimemética em relação à sociedade. Regular é usar uma pequena quantidade de informação para desencadear eventos de grande importância. Colocar em prática decisões coletivas, e, sobretudo, a avaliação coletiva dessas decisões graças a um feedback dos cidadãos, a fim de atingir os objetivos almejados e decididos coletivamente. É por essa razão que hoje é necessário que os políticos possam se apoiar em resultados científicos demonstrados, sem deixar de levar em consideração a especificidade da natureza humana e as características do nosso cérebro. É necessária uma política de abertura para o mundo, de respeito à diversidade, de escuta e de confiança, que possibilitaria a cada um agir por si próprio, por sua família e pela sociedade na qual vive, trabalha e evolui.

A geração dos *millennials*, acostumada a compartilhar nas redes sociais, é mais sensível a esses valores de troca, de solidariedade e de empatia. Ela nos incita a sair do poder piramidal e rígido das antigas sociedades para evoluirmos em uma sociedade fluida, que dê mais espaço ao "altruísmo interessado", à relação que beneficia a todos e à *coopetição*, o equilíbrio entre competição e cooperação, aplicando os princípios da epimemética à sociedade.

Vou repetir: forte na tradição de cooperativas e empresas mutualistas herdada das associações operárias clandestinas do início do século XIX, a França está bem posicionada para se tornar um exemplo de democracia participativa no mundo. Depende agora de cada um dos cidadãos franceses que essa exceção abra o caminho para novos modelos econômicos, com novas práticas, novas inteligências coletivas e novos modos de governança.

É claro que não veremos, do dia para a noite, o fim do dirigismo estatal dos países centralizados nem do capitalismo selvagem que garante o monopólio dos donos do mundo digital – os GAFAMA e os NATU citados frequentemente neste livro. Eles se tornaram um modelo dominante, para não dizer predatório, explorando o livre mercado, a indefinição jurídica em torno dos comunais colaborativos (o bem comum) e contornando as leis trabalhistas. Provavelmente continuarão a existir, pois os trabalhadores precários, cuja sobrevivência depende da demanda regular de serviços mal pagos e frequentemente de curta duração de certas startups do mundo digital, também são uma realidade. No entanto, entre esses extremos, há lugar para se construir um novo modelo baseado na ajuda mútua, que tomaria toda a sua dimensão no advento da economia colaborativa.

A ideia de uma "terceira via" entre o capitalismo tradicional e o socialismo dirigista, como sugere Jeremy Rifkin, constituiria uma nova etapa da evolução da humanidade, suscetível de transformar radicalmente nossos modos de organização e nossa visão de mundo. Seria uma "mudança da consciência coletiva", para citarmos novamente o prospectivista americano, que permitiria colocar em prática os valores universais do altruísmo e da solidariedade.

O caminho torna-se livre para praticarmos uma governança cidadã que implique uma verdadeira participação, uma gestão coletiva e descentralizada, ajuda e respeito mútuos. As grandes escolhas dessa governança cidadã não deverão mirar somente na aceleração do crescimento econômico, mas na distribuição global dos saberes e das riquezas que preservem a variedade das culturas e das liberdades, por meio da valorização da epigenética para si mesmo e da epimemética para todos. A distribuição de recursos, a solidariedade, a saúde equilibrada, o "envelhecer bem" e a concordância em relação às diferenças vão compor a partitura da grande orquestra que interpreta a sinfonia da vida.

Definições

RNA, O MENSAGEIRO INDISPENSÁVEL

Nosso corpo é constituído por células, e cada uma delas contém um núcleo, que por sua vez abriga 23 cromossomos. Cada cromossomo contém duas moléculas de DNA (ácido desoxirribonucleico) em forma de dupla hélice, que se separam no momento da duplicação (quando as células se reproduzem).

O genoma humano é constituído por 3 bilhões de letras do código genético, ou seja, por volta de 30 mil genes, criados a partir de quatro "letras" químicas que correspondem a quatro moléculas orgânicas designadas por A, T, G e C, para adenina, timina, guanina e citosina. (A seguir, atribuo uma cor a elas para que sejam mais facilmente reconhecidas.) Essas quatro "bases" químicas se associam a moléculas de fósforo e de açúcar, constituindo os nucleotídeos. É o conjunto dessas quatro letras que permite formar – como em um poema ou em um romance – as "palavras" de uma frase e em seguida as "frases" do livro da vida das diferentes espécies. Essas palavras ou frases são comparáveis ao que chamamos de genes. Cada ramo de DNA produzirá uma sequência formada por nucleotídeos (há, potencialmente, 3,2 bilhões de pares de nucleotídeos), que em seguida será transcrita em uma molécula de RNA (ácido ribonucleico), indispensável à vida, para sintetizar a proteína.

Combinando-se em pares complementares (A-T e G-C), as quatro letras formarão a dupla hélice de DNA. Em outros termos, uma base azul (A) se combina sempre com uma base amarela (T), assim como uma base verde (G) se liga obrigatoriamente a uma base vermelha (C). É assim que a dupla hélice consegue transmitir sua mensagem ao RNA. Ao traduzir, de certa maneira, a mensagem (do livro), o RNA torna possível a produção de uma proteína específica. A proteína servirá, por exemplo, para criar células do rim ou do coração e para fabricar órgãos úteis para um ser vivo. O RNA, que possui muitas funções, pode transmitir todas as propriedades do DNA.

Quando a célula se duplica, forma novos ramos, cópias perfeitas do mesmo código genético. Assim, o DNA duplicado é idêntico ao original. Dizemos que ele é "replicado". A proteína, que se exprime na célula, transmite então uma característica (um fenótipo) ao organismo.

No entanto, pode acontecer de a cópia comportar "erros"; por exemplo, uma base vermelha (C) impedida de se ligar a uma base verde (G) se ligará a uma base amarela (T). Fala-se então, de "mutações" genéticas.

ACETILAÇÃO E METILAÇÃO

A acetilação das histonas possibilita acrescentar ou suprimir um pequeno grupo químico ligado a certos aminoácidos, constituintes básicos das proteínas histonas. Essa modificação poderá levar a uma superexpressão de um gene ou, ao contrário, à sua inibição.

A hiperacetilação das histonas pelas enzimas chamadas "histonas acetiltransferases" (ou HAT) leva à ativação da transcrição de um determinado gene descompactando a cromatina. Essa ação favorece a cópia dos genes pelo RNA polimerase, produzindo o RNA mensageiro, uma cópia circulante do gene. Ao contrário, a deacetilação pelas enzimas chamadas "histonas deacetilases" (HDAC) é associada à inibição da transcrição.

A ativação e a inibição dos genes nos mecanismos epigenéticos são realizadas por espécies de etiquetas químicas reversíveis. Fala-se em grupo "metil" ($CH3$) e em grupo "acetil" ($COCH3$). Esses dois grupos representam as chaves de abertura ou de fechamento das gavetas e intervêm na ativação ou na desativação de certos genes.

Por exemplo, a acetilação do aminoácido lisina, que se encontra na extremidade da cadeia da proteína histona, neutraliza suas cargas positivas e modifica seu tamanho, o que induz a uma mudança da forma das proteínas e do modo de interação com o DNA. Isso reduz a afinidade entre histonas e DNA e favorece o acesso do gene ao RNA "polimerase" (que faz cópias do código genético) e às moléculas de transcrição.

A metilação das histonas, impedindo, de certa forma, a abertura da gaveta, impede a síntese de proteínas essenciais. Dizemos que o gene se tornou silencioso ou que foi inibido. Pode-se compreender, assim, o processo epigenético de metilação do DNA, no qual algumas "letras" do código genético podem ser lidas de maneira diferente pela adição de um agrupamento metil. Essa modificação da expressão dos genes é realizada por enzimas específicas, chamadas DNMTs, para "DNA metiltransferase". Os agrupamentos químicos grandes, como os agrupamentos de metil, podem ser trazidos por essas enzimas e se fixar no DNA, atrapalhando ou entupindo os lugares que permitiriam transcrever o DNA em RNA mensageiro. Essa molécula transporta a mensagem "hereditária" (transmitida de uma geração a outra) do núcleo das células a lugares de síntese das proteínas.

OS INTERRUPTORES QUÍMICOS DA EPIGENÉTICA

Circulando continuamente no organismo, esses interruptores moleculares móveis são moléculas funcionais de RNA. Chamadas "RNA não codificantes", elas são transcritas a partir do DNA, mas não são traduzidas em proteínas. Os RNAs não codificantes se dividem em dois grupos: os RNAs curtos (menos de 30 letras do código genético), entre os quais se distinguem os microRNAs e os pequenos RNAs interferentes (siRNA, para *small interfering RNA*), e os RNAs longos (mais de 200 letras). Os RNAs desempenham um papel fundamental na epigenética, como complemento do processo de metilação ou de acetilação das histonas. Capazes de controlar os genes, eles podem, de fato, desencadear ou inibir processos do metabolismo celular. Essa descoberta recente é um fator determinante da compreensão da epigenética.

Como um RNA curto processa um gene silencioso? Após a transcrição de um gene em RNA mensageiro, uma molécula de microRNA modificada pela enzima Dicer se liga ao RNA mensageiro de acordo com a sequência complementar e solicita uma proteína de clivagem chamada RISC (RNA Induced Silencing Complex). A RISC corta o RNA mensageiro, que não pode, então, ser traduzido em proteínas, e isso torna silencioso o gene correspondente.

Agradecimentos

Gostaria de agradecer, pela ajuda na documentação, na redação e na revisão do manuscrito, inicialmente a Véronique Anger, presidente fundadora do Forum Changer d'Ère e editora de *2010, les scénarios du futur* [2010: os cenários do futuro], por sua releitura atenta, suas sugestões de reescrita de alguns textos, sua ajuda para a bibliografia e sua abertura a outras pesquisas. A Danielle Gil, assistente sempre conectada, positiva e pragmática em suas observações, por sua atenção às novas ideias durante nossas discussões ou em suas revisões. À minha mulher, Stella de Rosnay, coautora de *La Malbouffe* [Comida ruim] e de *Branchez-vous* [Conecte--se], pela paciência, por suas críticas construtivas e seu papel de ingênua esclarecida. Meus agradecimentos, também, pelos conselhos preciosos, pelos comentários e pelas sucessivas e detalhadas releituras do projeto do livro, a Henri Trubert, editor exigente e construtivo, a Jean Zin, François Vescia e Yves Cumunel, por suas observações pertinentes; assim como a Tatiana de Rosnay, Nicolas Jolly, Gilles Babinet, Thierry Moulonguet, Alexis Maurice e Jean Baptiste Corteel, por sua participação em discussões precedentes ao livro e por suas reações e opiniões sobre capítulos que estavam em processo de escrita.

Bibliografia disponível em português

BREGMAN, Ruter. *Utopia para realistas*: como construir um mundo melhor. Tradução de Leila Couceiro. Rio de Janeiro: Sextante, 2018.
CHANGEUX, Jean-Pierre. *O homem neuronal*. Tradução de xxxx. Alfragide: Dom Quixote, 1985.
DARWIN, Charles. *Entendendo Darwin*: a autobiografia de Charles Darwin, editada por seu filho Francis Darwin. Tradução de Débora da Silva Guimarães Isidoro e Mirian Ibanez. São Paulo: Planeta, 2009.
DAWKINS, Richard. *Deus, um delírio*. Tradução de Fernanda Ravagnani. São Paulo: Companhia das Letras, 2007.
_____. *O gene egoísta*. Tradução de Rejane Rubino. São Paulo: Companhia das Letras, 2007.
ENDERS, Giulia. *O discreto charme do intestino*: tudo sobre um órgão maravilhoso. Tradução de Karina Jannini. São Paulo: WMF Martins Fontes, 2017.

HARARI, Yuval Noah. *Homo Deus*: uma breve história do amanhã. Tradução de Paulo Geiger. São Paulo: Companhias das Letras, 2016.

CELLAN-JONES, Rory. Stephen Hawking: Inteligência artificial pode destruir a humanidade. *BBC.com*, 2014. Disponível em: <https://www.bbc.com/portuguese/noticias/2014/12/141202_hawking_inteligencia_pai>. Acesso em: 14 fev. 2019.

LIPTON, Bruce. *A biologia da crença*. Tradução de Yma Vick. São Paulo: Butterfly Editora, 2007.

PINKER, Steven. *Os anjos bons da nossa natureza*: por que a violência diminuiu. Tradução de Bernardo Joffly e Laura Teixeira Motta. São Paulo: Companhia das Letras, 2017.

ORGANIZAÇÃO MUNDIAL DA SAÚDE. *Qualidade do ar e saúde*. Genebra, 2016.

RICARD, Matthieu; SINGER, Wolf. *Cérebro e meditação*: diálogos entre o budismo e a neurociência. Tradução de Fernando Santos. São Paulo: Alaúde, 2018.

RIFKIN, Jeremy. *Sociedade com custo marginal zero*. Tradução de Monica Rosemberg. São Paulo: M. Books, 2015.

WOHLLEBEN, Peter. *A vida secreta das árvores*. Tradução de Petê Rissati. Rio de Janeiro: Sextante, 2017.